**Ruedi Ritter**
**Hanspeter Hugentobler**
**Jakob Künzle**
**Berchtold Lehnherr**
**Charles Maquelin**
**Hans-Georg Wenzel**

# Königinnenzucht und Genetik der Honigbiene

**Band 3**

Fachschriftenverlag des Vereins deutschschweizerischer
und rätoromanischer Bienenfreunde

## Dank

Der Zentralvorstand des VDRB, die Buchkommission und die Projektleitung danken
- den Autorinnen und Autoren für ihr grosses, persönliches und zeitliches Engagement, ihre Ausdauer bei der Textarbeit und ihren Fleiss beim Zusammentragen und Auswählen des grossen Fachwissens,
- den Textleserinnen und -lesern für ihre wichtige Arbeit im „Verborgenen",
- den Mitarbeiterinnen und Mitarbeitern des Zentrums für Bienenforschung Liebefeld für ihre begleitende Beratung,
- der Gestalterin und dem Gestalter für die konstruktive, angenehme Zusammenarbeit und ihre kreative, kompetente, formgebende Arbeit,
- den Fotografinnen und Fotografen für ihre einmaligen Bildbeiträge aus nah und fern,
- den Lektorinnen und der Korrektorin für ihre kritischen und klärenden Textkorrekturen.

## Impressum

*Zentralvorstand VDRB:* Hanspeter Fischer (Präsident), Berchtold Lehnherr, Heinrich Leuenberger, Hans Maag, Hansjörg Rüegg, Gebhard Seiler, Hans-Georg Wenzel

*Buchkommission:* Hansjörg Rüegg (Vorsitz), Peter Fluri, Christoph Joss, Matthias Lehnherr, Markus Schäfer, Gebhard Seiler

*Projektleitung:* Matthias Lehnherr (Gesamtleitung) und Markus Schäfer
*Redaktion Band 3:* Pascale Blumer, Ruedi Ritter, Matthias Lehnherr
*Lektorat:* Pascale Blumer
*Korrektorat:* Annemarie Lehmann

*Gestaltung:* Wiggenhauser & Woodtli, Zürich
*Scanbelichtungen und Druck:* Trüb-Sauerländer AG, Aarau

© Fachschriftenverlag VDRB
17., neue Auflage 2001

Alle Rechte vorbehalten.
Nachdruck oder Vervielfältigung des Buches oder von Teilen daraus
nur mit ausdrücklicher Genehmigung des Verlages.

Fachschriftenverlag VDRB
Postfach 87
6235 Winikon
www.vdrb.ch

ISBN 3-9522157-2-4

Die Deutsche Bibliothek – CIP-Einheitsaufnahme
Der schweizerische Bienenvater / Verein Deutschschweizerischer und Rätoromanischer Bienenfreunde. Winikon : Fachschriftenverl. VDRB
  ISBN 3-9522157-9-5

  Bd. 3. Königinnenzucht und Genetik der Honigbiene / Ruedi Ritter ... - 17., neue Aufl.. - 2001
  ISBN 3-9522157-2-4

**Der Schweizerische Bienenvater** erschien erstmals 1889, im Selbstverlag der Verfasser J. Jeker, U. Kramer, P. Theiler. Die Autoren veröffentlichten in dieser **Praktischen Anleitung zur Bienenzucht** ihre Vorträge, die sie an Lehrkursen über Bienenzucht gehalten hatten.

Der „Schweizerische Bienenvater" hatte Erfolg. Durchschnittlich alle sieben Jahre erschien eine Neuauflage. Der Inhalt wurde dabei oft überarbeitet und erneuert. Zweimal seit seinem Erscheinen wurde das Standardlehrwerk vollständig neu geschrieben: 1929 (11. Auflage) von Dr. h.c. Fritz Leuenberger und 2001 (17. Auflage) von einem grossen Autorinnen- und Autorenteam.

Diese 17. Auflage erscheint erstmals in fünfbändiger Form, umfasst rund 550 Seiten und ist thematisch völlig neu gewichtet:

**Band 1**
Imkerhandwerk
Einer Imkerin und einem Imker über die Schulter geguckt – Aufbau einer Imkerei – Ökologische und ökonomische Bedeutung der Imkerei – Pflege der Völker im Schweizerkasten und im Magazin – Wanderung – Waben und Wachs – Massnahmen bei Krankheiten – Organisationen der Imkerei

**Band 2**
Biologie der Honigbiene
Anatomie und Physiologie – Drei Wesen im Bienenvolk – Lebenszyklus des Volkes und Massenwechsel – Lernfähigkeit und Verständigung – Krankheiten und Abwehrmechanismen

**Band 3**
Königinnenzucht und Genetik der Honigbiene
Einem Königinnenzüchter über die Schulter geguckt – Technik der Zucht – Begattung der Königin – Königinnen verwerten – Vererbungslehre – Züchtungslehre – Erbgut der Honigbienen in Mitteleuropa – Organisation der Züchterinnen und Züchter

**Band 4**
Bienenprodukte und Apitherapie
Honig, eine natürliche Süsse – Pollen, eine bunte Vielfalt – Bienenwachs, ein duftender Baustoff – Propolis, ein natürliches Antibiotikum – Gelée Royale, Futtersaft mit Formkräften – Bienengift, ein belebender und tödlicher Saft – Apitherapie

**Band 5**
Natur- und Kulturgeschichte der Honigbiene
Naturgeschichte: Insekten, die unterschätzte Weltmacht – Bienen – Wespen – Ameisen – Was kreucht und fleucht ums Bienenhaus? Kulturgeschichte: Ursprungsmythen und Symbolik – Vom tausendfältigen Wachs – Geschichte der europäischen Bienenhaltung und -forschung

## Inhalt

|   |   | |
|---|---|---:|
|   | Bildnachweis | 6 |
| 1 | Einem Königinnenzüchter über die Schulter geguckt *(Berchtold Lehnherr)* | 7 |
| 2 | Technik der Königinnenzucht *(Jakob Künzle)* | 9 |
|   | 2.1 Zuchtplan | 10 |
|   | 2.2 Weiselwiege | 11 |
|   | 2.3 Beschaffung von Zuchtstoff | 16 |
|   | 2.4 Auswahl von Pflegevölkern | 16 |
|   | 2.5 Zuchtverfahren | 17 |
|   | 2.6 Kostbare Königinnenzellen | 24 |
|   | 2.7 Verwerten der Zellen | 25 |
| 3 | Begattung der Königin *(Charles Maquelin)* | 27 |
|   | 3.1 Unerwünschte, fremde Königin | 28 |
|   | 3.2 Begattungsvölkchen bilden | 28 |
|   | 3.3 Natürliche Begattung | 33 |
|   | 3.4 Beginn der Eiablage | 37 |
|   | 3.5 Instrumentelle Besamung | 38 |
| 4 | Königinnen verwerten *(Hanspeter Hugentobler, Ruedi Ritter)* | 39 |
|   | 4.1 Königinnen zeichnen | 40 |
|   | 4.2 Flügel schneiden | 41 |
|   | 4.3 Voraussetzungen für die Annahme einer Königin | 42 |
|   | 4.4 Zusetzgeräte | 44 |
|   | 4.5 Standvölker umweiseln | 46 |
|   | 4.6 Einweiseln im Brutableger und Kunstschwarm | 47 |
|   | 4.7 Vorprüfung | 48 |
|   | 4.8 Verwertung der Begattungsvölklein | 48 |

| | | | |
|---|---|---|---|
| 5 | | Vererbungslehre *(Ruedi Ritter)* | 49 |
| | 5.1 | Biologische Grundlagen | 50 |
| | 5.2 | Erbfehler | 55 |
| | 5.3 | Verwandtschaftsverhältnisse im Bienenvolk | 56 |
| | 5.4 | Vererbung des Geschlechts | 58 |
| | 5.5 | Regeln der Vererbung | 60 |
| | 5.6 | Vererbungslehre in der praktischen Bienenzucht | 64 |
| 6 | | Züchtungslehre *(Ruedi Ritter)* | 65 |
| | 6.1 | Standort, Pflege und Erbgut beeinflussen die Leistung | 66 |
| | 6.2 | Selektion | 67 |
| | 6.3 | Erblichkeit und Korrelation | 68 |
| | 6.4 | Zuchtziel | 72 |
| | 6.5 | Paarungsverfahren | 75 |
| | 6.6 | Zuchtwertschätzung | 79 |
| | 6.7 | Zuchtfortschritt | 81 |
| | 6.8 | Zucht auf Krankheitsresistenz | 82 |
| | 6.9 | Merkpunkte zur Züchtungslehre | 84 |
| 7 | | Erbgut der Honigbienen in Mitteleuropa *(Ruedi Ritter)* | 85 |
| | 7.1 | Klassifizierung der Honigbienen | 86 |
| | 7.2 | Unterscheidungsmerkmale der Rassen Mitteleuropas | 87 |
| | 7.3 | Erscheinungsbilder der Bienenrassen Mitteleuropas | 92 |
| | 7.4 | Nutzen und Grenzen der Rassenunterscheidung | 94 |
| 8 | | Organisation der Züchterinnen und Züchter | 97 |
| | 8.1 | Organisation der Zucht im VDRB *(Hans-Georg Wenzel)* | 98 |
| | 8.2 | Zuchtarbeit der SAR *(Charles Maquelin)* | 100 |
| | | Quellen | 102 |
| | | Weiterführende Literatur | 102 |
| | | Register | 103 |

## Bildnachweis

**39, 42** Berger, F.; **98** Berger, H.; **14, 15, 16, 47, 50** Bienen-Meier Künten; **99** Bildarchiv Schweizerische Bienen-Zeitung; **27** Bühler, P.; **79** Carnica-imker-Vereinigung (SCIV); **26** Danuser, E.; **97** Ehrenwirth Verlag (nach Goetze); **8** Gerig, L.; **53** Hugentobler, HP.; **96** Klebs, K.; **10, 11, 12, 17, 18, 19, 20, 21, 22, 23, 25** Künzle, J.; **102** Lehnherr, M.; **29, 30, 31, 32, 33, 34, 35, 36, 37, 104** Maquelin, Ch.; **74** Mellifera Imkerfreunde (VSMF); **40, 41** Otten, Ch., Mayen; **44, 45, 52, 68** Ritter, R.; **54–67, 69–73, 76–78, 80–87, 93–95, 101** Wiggenhauser, F. nach Vorlagen von Ritter, R.; **43** Ruetsch, H.; **88, 100** Ruttner, F. (Bildarchiv Institut für Bienenkunde, Oberursel); **3, 13, 18 r** Spürgin, A.; **4** VDRB-Diaserie; **2, 5, 6, 7, 8, 9, 19, 21, 24, 28, 46, 48, 49, 51, 89–92** Wiggenhauser, F. nach Vorlagen von Weiss, K.; **103** Wenzel, H.G.; **1** Zumsteg, R.

# 1 Einem Königinnenzüchter über die Schulter geguckt

Berchtold Lehnherr

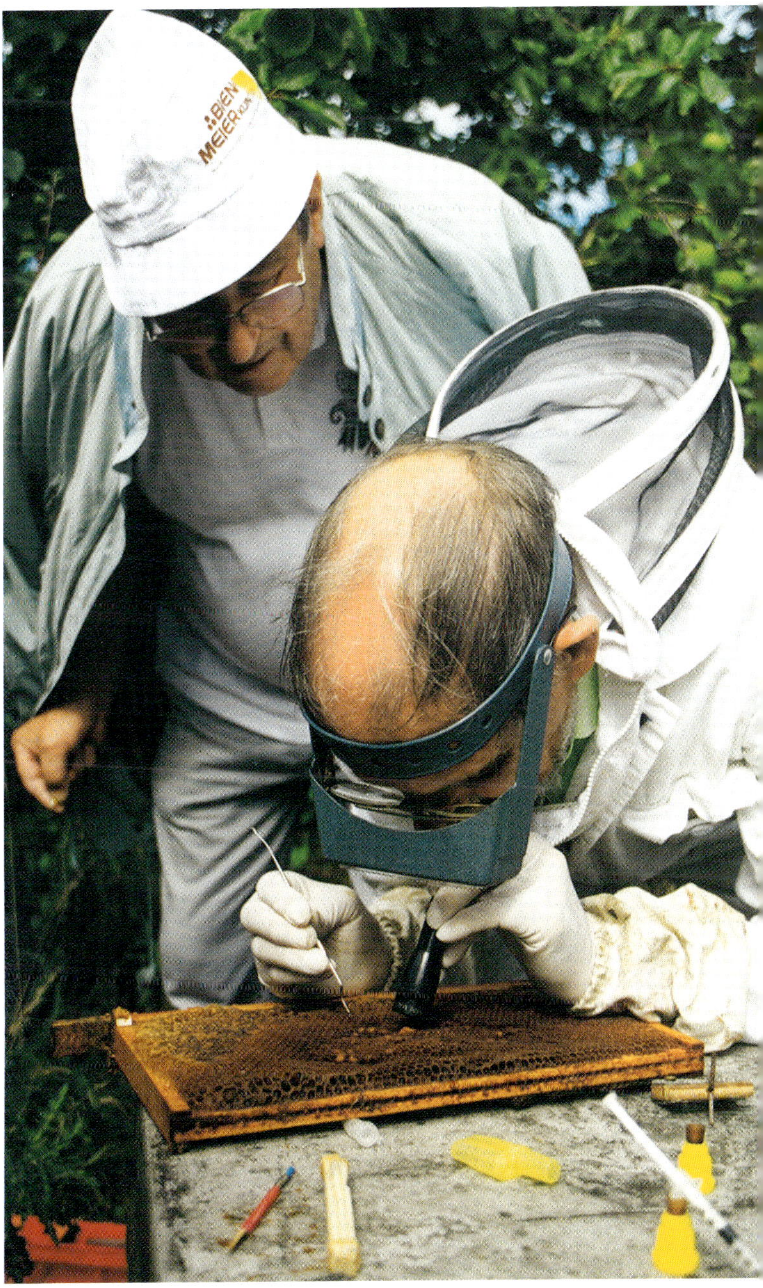

Wozu und wie können Imkerinnen und Imker Königinnen züchten? Was erwartet sie dabei, und welche Bedingungen sollten sie erfüllen? Zu diesen Fragen äussert sich Franz Berger.

„Wer schleudern will, muss auch züchten. Mir wurde bald bewusst, wie wichtig junge Königinnen für leistungsfähige Völker sind. Zuerst schaute ich andern Imkern beim Bogenschnitt und Okulieren zu. Mich interessierten rationelle Methoden."

Abb. 1
**Umlarven mit Taschenlampe und Vergrösserungsbrille**
Wer Königinnen züchtet, braucht biologische Kenntnisse und viel Fingerspitzengefühl. Zum Glück gibt es technische Hilfsmittel und Zuchtpläne, die eine präzise Arbeit erleichtern.

# Einem Königinnenzüchter über die Schulter geguckt

*Franz Berger, wie bist du zur Imkerei gekommen?*
Franz Berger: Schon mein Vater und mein Grossvater haben geimkert. Mit 13 Jahren besuchte ich die ersten Bienenkurse. Aber richtig in die Imkerei eingestiegen bin ich erst, als der Vater einmal geschäftlich abwesend war und es enorm zu honigen begann. Das Schleudern des Honigs bereitete mir Spass, und ich sah im Imkern auch ein Nebeneinkommen.

*Wie sieht deine Imkerei heute aus?*
Meine Familie pflegt ungefähr 130 *Carnica*-Völker, die an drei Standorten überwintern. Im Frühjahr wandere ich mit den Bienen in Obstanlagen und zu Rapsfeldern. Ab Anfang Juni stehen alle Völker im Wald.

*Mit welchem Verfahren züchtest du heute?*
Ich züchte mit einer einfachen Methode, die grosse Zuchtserien erlaubt. Der dreiteilige Zuchttrog fasst zwei Völker, die links und rechts des Mittelteils einlogiert werden. Der Mittelteil lässt sich durch Absperrgitter und Schieber abtrennen und dient dem Anbrüten der Zuchtzellen.

*Wie gehst du dabei praktisch vor?*
Im mittleren Anbrüteabteil sollen sich viele Ammenbienen befinden. Von einem der beiden Völker wische ich abends Jungbienen in den Einlauftrichter des Mittelteils. Dort lassen sich 46 Zellen anbrüten. Nach 24 Stunden verteile ich diese in die Aufsätze dreier Pflegevölker. Hier schützt ein Absperrgitter die angebrüteten Zellen. Fünf Tage nach dem Umlarven kommen die Zellen in den Brutschrank. Dort schlüpfen die Jungköniginnen. In der Zwischenzeit kann ich weitere Serien anbrüten lassen (→ S. 26).

*Worauf schaust du bei der Auswahl der Mädlein?*
Von ausgewiesenen Züchtern kaufe ich regelmässig einige Königinnen. Sie müssen sich mindestens ein Jahr bei mir bewähren. Von den besten nehme ich eintägige Mädlein zur Zucht.

*Wie lässt du die Königinnen begatten?*
Aus zeitlichen Gründen werden die Königinnen standbegattet, und zwar in der Nähe des Hauses, wo viele starke Völker mit Königinnen aus der ersten Töchtergeneration (F1-Königinnen) stehen.

*Wie verwendest du deine Königinnen?*
Ich setze die Königinnen in meine Ableger und Standvölker ein. Manchmal verschenke oder verkaufe ich auch welche.

*Weshalb weiselst du deine Völker um?*
Ich kann es mir aus zeitlichen Gründen nicht leisten, im Frühling vielen Schwärmen nachzurennen. Ausserdem ist auch die Schwarmkontrolle aufwändig. Mit Jungköniginnen ist die Schwarmtendenz geringer.

*Lohnt sich die Königinnenzucht? In welchem Verhältnis steht der Aufwand zum Ertrag?*
Nachdem ich meine rationale Methode gefunden habe, empfinde ich den Aufwand nicht mehr als zu gross. Zuchtvölker und Muttervölker stehen hinter dem Haus im Garten. Die Königinnen schlüpfen im Brutschrank, und auch die Begattungskästchen sind in der Nähe aufgestellt. Ich habe also keine grossen Distanzen zurückzulegen. Junge Königinnen sind für mich unentbehrlich.

*Welche Anforderungen müssen für eine erfolgreiche Königinnenzucht erfüllt sein?*
Angehende Züchterinnen und Züchter sollen zuerst nach einer zweckmässigen Zuchtmethode suchen. Oft lässt sich nur durch Ausprobieren herausfinden, ob ein Verfahren zur Person und zur Imkerei passt. Weiter müssen Mädlein von bewährten Königinnen zur Verfügung stehen. Schliesslich braucht es zur erfolgreichen Zucht die Bereitschaft, exakt nach einem vorgegebenen Plan zu arbeiten.

# 2 Technik der Königinnenzucht

Jakob Künzle

Bienenzüchterinnen und -züchter selektionieren Bienen, um den Ertrag zu steigern oder die Haltung zu vereinfachen. Ihr Erfolg wird durch verschiedene Faktoren beeinflusst. Je besser die Aufzucht der Königin, desto hochwertiger ist ihre Qualität. Dabei spielt das Pflegevolk eine wichtige Rolle (→ S. 16).

Abb. 2
**Umlarven**
Mit dem „Schweizer Umlarvlöffel" werden kleinste, 12 bis 18 Stunden alte Maden aus der Zelle gehoben und in künstliche Weiselbecher umgelarvt (→ S. 12).

Abb. 3
**Zuchtzellen**
Diese Zuchtserie aus dem weiselrichtigen Pflegevolk ist geglückt. Am 10. Tag nach dem Umlarven werden die verdeckelten Weiselzellen in Begattungskästchen oder Schlupfkäfige umgesteckt (→ S. 25).

# 2 Technik der Königinnenzucht

## 2.1 Zuchtplan

Während der Schwarmzeit, wenn der natürliche Vermehrungstrieb der Bienenvölker erwacht ist, verläuft die Zucht besonders erfolgreich. In trachtlosen Zeiten empfiehlt es sich, die Pflegevölker mit Honigwasser zu füttern, damit sie in „Zuchtstimmung" bleiben. Während 14 Tagen vor Zuchtbeginn erhalten die Pflegevölker täglich 2–3 dl Honigwasser (4–5 Esslöffel Blütenhonig in 3 dl lauwarmem Wasser lösen).

Als günstige Termine zum Einleiten der Zucht erwiesen sich die Tage um den 15. Mai und den 15. Juni. Die Paarungszeit fällt dann meist in eine Schönwetterperiode. Will ein Züchter viele Königinnen erzeugen, muss er die gesamte Zuchtsaison ausnutzen.

**Terminplan**  Tab. 1

Dieser Terminplan gilt für die Zucht im weisellosen Volk (Variante 1, → S. 18).

| Zuchttag | Datum (Beispiel) | Pflegevolk | Zuchtvolk | Begattungsvölkchen |
|---|---|---|---|---|
| –14 | 2.5. | Beginn der Reizfütterung | | |
| –9 | 6.5. | Königin absperren | | |
| –4 | 12.5. | | Nicot- oder Jenter-Wabe zum Bestiften einhängen, bei fehlender Tracht Fütterung | |
| 0 | 16.5. | Zucht einleiten:<br>– Königin entfernen<br>– alle wilden Weiselzellen ausbrechen<br>– Zuchtstoff einhängen | Zuchtstoff entnehmen | |
| 2 | 18.5. | Kontrolle, Zuchtstoff ergänzen | | |
| 5 | 21.5. | Zellen verdeckelt | | |
| 10 oder 12 | 26.5. oder 28.5. | | | Begattungskästchen vorbereiten: am Tag 10, wenn die Königinnen in den Kästchen schlüpfen, oder am Tag 12, wenn die Königinnen in den Schlupfkäfigen schlüpfen |
| 10 | 26.5. | Zellen verschulen, in Begattungskästchen oder Schlupfkäfige | | |
| 12 | 28.5. | Schlupf der Königinnen | | |
| 16 | 1.6. | | | Begattungskästchen aufstellen |
| 20 | 5.6. | | | Königinnen geschlechtsreif |
| 25–30 | 10.–15.6. | | | Eilage kontrollieren |

Technik der Königinnenzucht

## 2.2 Weiselwiege

Die Weiselwiege ist die Zelle, in der die Königin heranwächst. Die Bienen errichten Weiselzellen, wenn sie schwärmen wollen (= natürliche Vermehrung) oder wenn sie eine neue Königin brauchen (= stille Umweiselung).

Abb. 4
**Nachschaffungszellen**
Weisellose Völker ziehen über jüngster Arbeiterinnenbrut so genannte Nachschaffungszellen. Bienen können aus ein- bis zweitägigen Arbeiterinnenlarven Königinnen nachziehen. Nachschaffungszellen sind in der Mitte der Brutwaben zu finden. Die Jungköniginnen sind bereits geschlüpft.

Abb. 5
**Schwarmzellen**
Sie entstehen meist am unteren Rand des Brutnestes.

## Technik der Königinnenzucht

### Wachsweiselnäpfchen

Werden nur wenige Weiselwiegen benötigt, so können alte, gekürzte Weiselzellen oder Spielnäpfchen verwendet werden. Bei grösserem Bedarf müssen die Zellen aus Wachs gezogen werden.

**Weiselnäpfchen formen**

Abb. 6
Zum Ziehen von Weiselwiegen dient ein Formholz (Ø 9 mm). Das Formholz wird eine halbe Stunde in kaltes Wasser gelegt, um die Poren zu schliessen. Reines Wachs wird auf 65–70 °C erwärmt und das Formholz dreimal etwa 5 mm und ein weiteres Mal nicht ganz so tief ins flüssige Wachs getaucht.

Abb. 8
Vor dem Ziehen des nächsten Näpfchens wird das Formholz in eine rohe Kartoffel gesteckt. Das verhindert, dass das Wachs am Holz haftet.

Abb. 7
Nach dem Erkalten wird das Wachsnäpfchen unter leichtem Drehen abgestreift. Diese Wachsnäpfchen können lange gelagert werden.

Abb. 9
Um die Wachsnäpfchen am Zuchtrahmen zu befestigen, werden sie erneut aufs Formholz gesteckt und mit wenig flüssigem Wachs an die Holzleiste oder die Zellenzapfen angelötet. Dabei darf der obere Rand der Näpfchen nicht beschädigt werden.

## Kunststoff-Weiselbecher

Im Handel sind Weiselbecher aus Kunststoff erhältlich (→ Abb. 14 und 15). Die Annahme der Larven ist nur in sauberem Material gewährleistet. Deshalb empfiehlt es sich, die alten Becher sauber zu putzen oder neue zu verwenden.

## Umlarven

Beim Umlarven werden maximal 24 Stunden alte Arbeiterinnenlarven mit einem Umlarvlöffel aus Arbeiterinnenzellen herausgehoben und in Weiselbecher umgebettet. Das Löffelchen soll möglichst klein sein, damit nur jüngste (= kleinste) Maden aufgenommen werden können; ältere (= grössere) fallen sogleich wieder herunter.

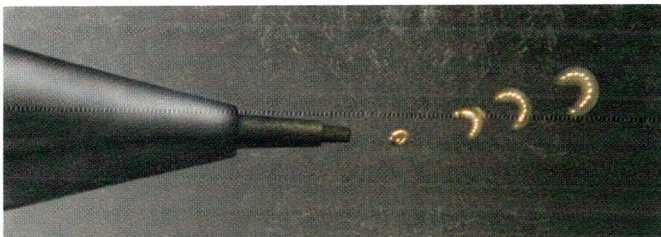

Abb. 10
**Altersstadien des Zuchtstoffes**
Beim Umlarven wählt die Imkerin oder der Imker 12 bis 24 Stunden alte Maden. Sind die umgelarvten Maden älter als 36 Stunden, entstehen minderwertige Königinnen.

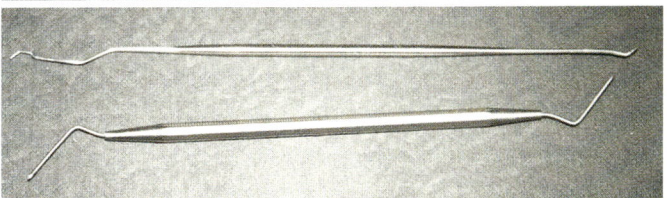

Abb. 11
**Umlarvlöffel**
Es gibt verschiedene Umlarvlöffel. Vielfach bewährt hat sich der Schweizer Umlarvlöffel (oben; unten: deutscher Umlarvlöffel). Zur Not dient ein Streichholz mit weich gekautem, umgebogenem Ende.

Abb. 12
**Wabenstück mit Zuchtstoff**
Es empfiehlt sich, den Zuchtstoff aus mindestens einmal bebrüteten Waben zu entnehmen (grüner Kreis). Die Larven sind besser zu erkennen als bei frischen, unbebrüteten Waben (roter Kreis). Der Zellboden ist bei bebrüteten Waben durch das Puppenhäutchen stabiler geworden. Dadurch bleibt der Umlarvlöffel weniger schnell im Zellboden stecken.

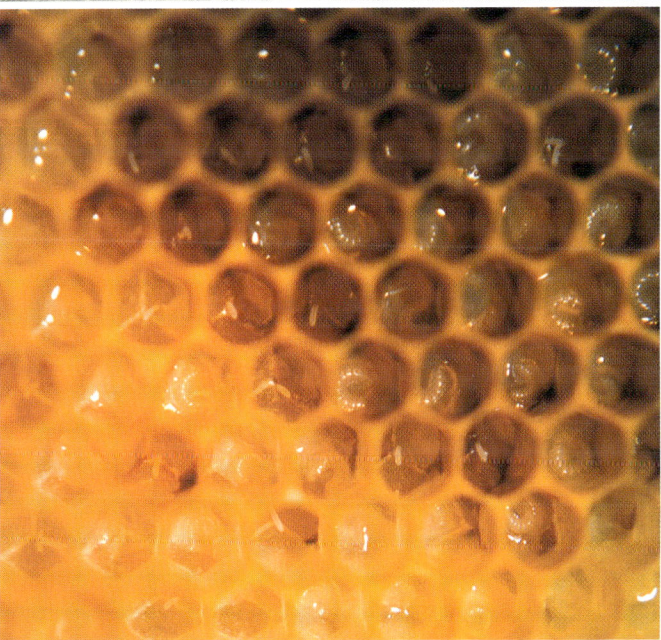

# 2 Technik der Königinnenzucht

Abb. 13
**Umlarven**

Mit dem Umlarvlöffel fährt man unter den gerundeten „Rücken" der 12 bis 24 Stunden alten Made und hebt sie vorsichtig heraus. Dabei sollen beide Enden der Made über den Löffel hinausragen. Beim Ablegen kleben dann die Enden auf dem Boden des Weiselbechers fest und der Löffel kann unter der Made weggezogen werden.
Die Maden sollen in der Mitte der Näpfchen abgelegt werden und dürfen keinesfalls umkippen.

Anfängern wird empfohlen, ein kleines Wabenstück mit jüngsten Larven aus der Wabe herauszuschneiden. Dann werden die Zellwände mit einem scharfen Messer auf 3 mm gekürzt. So können die 24 Stunden alten Maden leichter erkannt und ohne Verletzung herausgehoben werden.

Das Umlarven bedarf guter Beleuchtung. Während bei der Freistandimkerei genügend Tageslicht zur Verfügung steht, ist es im Bienenhaus oft düster. Kopflampen sind bewährte Hilfsmittel.

Beim „nassen Umlarven" wird vor dem Umbetten der Made etwas Gelée Royal auf den Boden der Weiselzelle getupft. Amerikanische Berufszüchter praktizieren diese Methode. Praxistests haben gezeigt, dass dadurch kein wesentlich grösserer Erfolg erzielt wird.

Beim „doppelten Umlarven" werden an Stelle von einer gleich zwei Maden in denselben Weiselbecher umgelarvt. Auch hier hat sich gezeigt, dass sich der grössere Arbeitsaufwand nicht auszahlt. (1)

**Umstecken**

Karl Jenter hat ein Umsteckgerät aus Kunststoff entwickelt. Mit diesem gewinnt man eintägige Maden, ohne sie mit dem Umlarvlöffel aus der Wabe heben zu müssen. Die Kunststoffzuchtwabe wird in eine frisch ausgebaute Wabe eingefügt und zum Ausbauen in ein Bienenvolk gehängt. Am besten eignet sich hierfür ein Schwarm oder ein starkes Volk während der Bauzeit. Der Boden jeder dritten Zelle ist eine so genannte Einsteckzelle und lässt sich herausnehmen. Die Zuchtwabe ist einseitig ver-

## Technik der Königinnenzucht

wendbar. Um Wildbau zu vermeiden, wird die Rückseite mit einer Kunststoffplatte abgedeckt. Auf der vorderen Wabenseite wird ein Gitter aufgesteckt und mit einem runden Verschlussdeckel verschlossen. Zur Angewöhnung und Reinigung wird diese präparierte Zuchtwabe für drei Tage ins Volk gehängt, aus dem die Larven entnommen werden (= Stoffvolk). Dann wird die Königin des Stoffvolkes auf die Zuchtwabe eingesperrt. Nach 24 Stunden wird sie wieder befreit. Die Jenter-Wabe wird auf Eiablage kontrolliert und bis zum Umstecken des Zuchtstoffes im Stoffvolk belassen. Ist das Wetter während der Gefangenschaft der Zuchtkönigin schlecht, sollte mit etwas Honigwasser gefüttert werden.

Vier Tage nach der Eiablage, am Tag null nach Zuchtplan, werden die Einsteckzellen mit dem Stift herausgezogen und die Zellenbecher auf den Zellenboden gesteckt. Die zusammengesteckten Teile werden mit dem Zellenträger verbunden und in den bereitgestellten Zuchtrahmen eingesetzt.

Pro Jenter-Wabe stehen 99 Zellen zur Verfügung. Für Imkerinnen und Imker, die viel Zuchtstoff benötigen, ist dieses System ungeeignet, da man die Zuchtkönigin durch wiederholtes Einsperren zu stark strapaziert. Ähnlich funktioniert das Nicot-Umsteck-system. In der Anwendung ist es einfacher als jenes von Jenter, weil der Zellenbecher nur aus einem Stück besteht.

Abb. 14
**Umsteckgerät nach Jenter**
Jenter-Bausätze mit Gebrauchsanweisungen sind in Imkereifachgeschäften erhältlich.

Abb. 15
**Nicot-Umsteckgerät**
Der braune Kunststoffbecher (1) birgt die Larve. Dieser wird in den Zellenträger (2) eingesetzt. Nun ragt er nur noch wenig heraus. Der Zellenträger kann sowohl im Apidea-Zuchtkästchen als auch in Schlupfkäfigen (hinten) eingesetzt werden. Zum Nicot-System gehört ausserdem ein Zellenschutz-ring (3) und ein Zellenschlupfkäfig (4), der durch den Zander-Schlupfkäfig ersetzt werden kann.

## 2.3 Beschaffung von Zuchtstoff

Viele Imkerinnen und Imker finden auf ihrem eigenen Stand keinen Zuchtstoff von zuverlässig geprüften Königinnen. Die Beschaffung von geeigneten Larven muss frühzeitig abgeklärt werden. Zuerst sollte man sich im Bienenverein informieren. Der Zuchtstoff soll von Völkern stammen, die sich in der Region bewährt haben. Auch anerkannte Züchter der Rassenverbände, Zuchtgruppen oder A-Belegstationen bieten während der Zuchtsaison regelmässig Zuchtstoff an.

Wenn möglich soll eine ganze Zuchtstoffwabe beschafft werden. Aber auch ein kleines Stück mit jungen Maden ist dienlich. Wird viel Zuchtstoff bezogen, muss meist direkt beim Zuchtstofflieferanten umgelarvt werden.

### Qualität des Zuchtstoffes

Schwarmköniginnen haben die besten Aufzuchtbedingungen. Sie werden von den Ammenbienen vom ersten Tag an mit Gelée Royal (Königinnenfuttersaft) gefüttert. Je später eine Made umgelarvt wird, desto später erhält sie dieses hochwertige Futter und entsprechend kleiner ist dann die Königin. Ihr Eierstock weist auch weniger Eischläuche auf, was sich negativ auf die Legeleistung auswirkt.

### Transport des Zuchtstoffes

Der Zuchtstoff darf nie direktem Sonnenlicht ausgesetzt werden. Um das Austrocknen zu verhindern, wird die Wabe in ein feuchtes Tuch eingewickelt. Die Temperatur sollte zwischen 25 und 30 °C liegen. Zur Wärmeisolation wird beidseits der Wabe Schaumstoff angelegt und mit einer Schnur zusammengebunden. So verpackter Zuchtstoff überdauert Transporte von fünf bis zehn Stunden.

Maden, die bereits umgelarvt wurden, sind empfindlicher, weil sie auf dem Trockenen liegen. Die Zellenträger mit umgelarvtem Zuchtstoff können direkt in den Zuchtrahmen gesteckt werden. Auch dieser wird schützend verpackt und maximal zwei Stunden später ins Pflegevolk eingehängt.

Damit die Maden nicht verrutschen, werden die Zellen stets mit der Öffnung nach oben transportiert. Der Zellenrand darf keinesfalls beschädigt werden, sonst verweigert das Pflegevolk die Annahme.

## 2.4 Auswahl von Pflegevölkern

Zur Aufzucht der Königinnen ist ein Pflegevolk nötig. Dieses trägt wesentlich zur Qualität der Jungköniginnen bei. Damit das Pflegevolk hochwertige Königinnen aufziehen kann, muss es folgende Kriterien erfüllen:
– Es besetzt im Schweizerkasten mindestens elf Brutwaben und ebenso viele Honigwaben oder im Magazin zwei Zargen; so ist die Aufzucht auch bei einem Kälteeinbruch gewährleistet.
– Es enthält viele Jungbienen (= Ammenbienen).
– Die Königin ist zwei- bis vierjährig; denn es ist bei Völkern mit Königinnen in diesem Alter wahrscheinlicher, dass der natürliche Schwarmtrieb erwacht.
– Vor Zuchtbeginn hat das Pflegevolk seine Kraft nicht bereits für die Aufzucht anderer Weiselzellen eingesetzt.
– Es sind reichlich Pollenreserven vorhanden.
– Eine zusätzliche Reizfütterung fördert den Bruttrieb.

## 2.5 Zuchtverfahren

Es gibt eine Vielzahl verschiedener Zuchtverfahren, doch alle basieren auf folgenden Voraussetzungen:
1. Das Pflegevolk ist in Pflegestimmung. Diese Stimmung entsteht bei:
   - Schwarmtrieb
   - Königinnenverlust
   - erschwertem Kontakt zur Königin
2. Im Pflegevolk sind viele fünf- bis zwölftägige Jungbienen (Ammenbienen) vorhanden.

### Schwarmzellen
Die einfachste Zuchtmethode besteht darin, Schwarmzellen zu verwerten. Mit diesem Verfahren können aber schwarmfreudige Völker selektiert werden, was dem Zuchtziel der Schwarmträgheit widerspricht (→ S. 74).

### Nachschaffungszellen
Ein Volk kann auch zum Bau von Weiselzellen veranlasst werden, indem die Altkönigin entfernt wird. Nach neun Tagen werden die wilden Zellen ausgebrochen (oder weiter verwendet), und eine Wabe mit jungen Maden wird eingehängt. Das Volk wird mehrere Zellen nachziehen, die einzeln verwertet werden können. Eine Zelle bleibt im Volk.
Die Anzahl der verwertbaren Königinnenzellen bleibt bei dieser Methode gering, und das Alter der vom Volk ausgewählten Maden kann stark variieren. Deshalb entstehen neben vollwertigen auch minderwertige Königinnen.

### 4-Waben-Zuchtkasten „Laurenz"
Einem nachzuchtwürdigen Volk wird die Königin entnommen. (Man kann mit ihr einen Ableger bilden.) Das weisellose Volk wird Nachschaffungszellen ziehen. Nach neun Tagen werden die Brutwaben mit ansitzenden Zellen entnommen und je eine in jedes Abteil des 4-Waben-Zuchtkastens gehängt.

Abb. 16
**4-Waben-Zuchtkasten „Laurenz"**
Dieser Zuchtkasten hat vier Abteile. Jedes Abteil fasst eine Schweizer Brutwabe und verfügt über ein Flugloch und einen Futtertrog.

Es ist ratsam, pro Abteil zusätzlich Bienen einer Wabe dazuzuwischen. Die vier Kleinableger sollen ausserhalb des Flugkreises des Herkunftsvolkes aufgestellt werden, damit keine Bienen dorthin zurückfliegen. Da auf den Brutwaben alle Zellen belassen werden, müssen sich die geschlüpften Königinnen im Kampf behaupten. Die aus der ältesten Made nachgezogene Königin ist bei diesem Kampf im Vorteil, da sie zuerst schlüpft. Deshalb ist auch bei diesem Verfahren die Qualität der Königinnen unterschiedlich. Bei regelmässiger Fütterung werden die Kleinvölker rasch wachsen. Während Schlechtwetterperioden ist Vorsicht geboten, denn in Kleinvölkern gewinnen Krankheitserreger leicht Oberhand (z. B. Nosema).

Mit diesem Kasten werden bis zu vier Königinnen gezogen. Diese Methode eignet sich für Imkerinnen und Imker, die wenig Zeit in die Zucht investieren wollen.

## Zucht im weisellosen Volk

Für die Zucht im weisellosen Volk gibt es zwei Varianten:

*Variante 1:* Zucht im neun Tage weisellosen Volk.
Die Königin des Pflegevolkes wird abgefangen. Falls sie noch wertvoll ist, kann mit ihr ein Reserveableger erstellt werden.

*Variante 2:* Zucht mit abgesperrter Königin. Bei dieser Methode wird die Königin nicht aus dem Volk entfernt, sondern während neun Tagen in einen Königinnen-Zusetzer gesperrt. Da die Königin im Volk bleibt, zieht dieses weniger Weiselzellen. Trotzdem muss am Tag null kontrolliert werden, ob wilde Zellen gebaut wurden. Anschliessend wird wie bei Variante 1 verfahren.

*Vorgehen für beide Varianten:* Das Volk wird täglich mit 2 dl Honigwasser gefüttert und so in Pflegestimmung versetzt. Nach neun Tagen werden alle Nachschaffungszellen im Volk ausgebrochen. Den Drohnenwaben gilt besondere Aufmerksamkeit, denn bei der „buckligen Brut" werden wilde Zellen leicht übersehen. Es darf keine Königinnenzelle stehen bleiben!

Waben ohne Brut werden abgewischt und entfernt. Das Pflegevolk sollte um etwa ein Viertel der Waben eingeengt werden. In der Mitte des Brutnestes wird eine Lücke von ungefähr 8 cm freigelassen. Nun wird der Deckel aufgelegt und vor das Flugloch ein Absperrgitter angeheftet. Dieses verhindert, dass eine fremde Königin nach ihrem Begattungsflug direkt ins weisellose Volk eindringen und die Zuchtserie aufbeissen kann. Etwa zwei Stunden später wird der Zuchtrahmen mit 20 bis 30 belarvten Zellen in die von Bienen überquellende Wabengasse eingesetzt.

Abb. 17

**Wabengasse vorbereiten**

Zwischen den Brutwaben wird eine Wabengasse gebildet. Bienen ketten sich im Freiraum auf und nehmen die Zuchtwabe in Empfang.
Der Zuchtrahmen wird sorgfältig in die freie Wabengasse eingehängt. Sanftmütige Pflegevölker erleichtern die Arbeit. Zu viel Rauch schadet den umgelarvten Maden.

**Technik der Königinnenzucht**

Tag 1     Tag 3     Tag 4–5     ab 6. Tag

Abb. 18
**Verschieden alte Zuchtzellen**
Obere Reihe: Zellen von der Seite
Untere Reihe: Blick von unten in die Zelle
Nach einem Tag ist die Weiselzelle bereits leicht ausgezogen, und die Larve schwimmt im Futtersaft. Am 3. Tag haben die Bienen die Zelle stark verlängert. Die Rundmade ist wesentlich gewachsen. Zwischen dem 4. und 5. Tag wird die Weiselzelle verdeckelt. Die Made schwimmt in viel Futtersaft, denn bis zum Schlupf der Königin muss dieser Vorrat ausreichen.

Ein bis spätestens drei Tage später wird eine Varroa-Fangwabe neben den Zuchtrahmen eingehängt. Dazu dient eine Wabe mit offener Drohnen- oder Arbeiterinnenbrut kurz vor der Verdeckelung.
Normalerweise dringen Varroamilben nicht in Weiselzellen ein. Wenn aber die Milben im Pflegevolk keine offene Brut mehr finden, befallen sie auch Weiselzellen. Um diese zu schützen, wird die Fangwabe zugehängt. Das Pflegevolk wird weiterhin regelmässig mit Honigwasser gefüttert. Damit die Drohnen ein- und ausfliegen können, muss das Absperrgitter abends während ungefähr 30 Minuten entfernt werden.
Drei oder vier Tage nach dem Einhängen des Zuchtrahmens kann kontrolliert werden, ob die Maden angenommen wurden. Da die Zellen kurz vor der Verdeckelung stehen, darf der Zuchtrahmen bei dieser Kontrolle nicht gekippt werden. Er wird vorsichtig senkrecht herausgehoben. Nach der Verdeckelung der Zuchtzellen kann die Zuchtserie in einen Brutschrank gehängt werden. (Dies gilt für alle Zuchtmethoden.)
Am Tag 10 werden die Zellen gekäfigt oder in Begattungsvölkchen eingesetzt. Wenn die Königinnenzellen länger im Zuchtrahmen verbleiben, könnte die zuerst schlüpfende Königin die ganze Zuchtserie aufbeissen. Im Pflegevolk wird entweder eine neue Serie eingeleitet oder eine neue Königin zugesetzt. Werden keine weiteren Zuchtserien durchgeführt, lässt man als Reserve drei gekäfigte Königinnen im Pflegevolk (→ S. 25).

Es können maximal drei weitere Zuchtserien angesetzt werden. Das Pflegevolk muss stark bleiben. Um das Volk zu verstärken, können verdeckelte Brutwaben eingehängt werden. Dieses Zuchtsystem ist weit verbreitet. Es eignet sich, wenn 20 und mehr Königinnen benötigt werden. Der Zeitaufwand pro Zuchtserie beträgt ohne das Abfüllen der Begattungseinheiten 6 bis 8 Stunden.

**Zucht mit dem Anbrütekasten**

Bei der Zucht über den Anbrüter gehen aus einer Zuchtserie mehr als 30 Königinnen hervor. Es wird in zwei Etappen und mit verschiedenen Völkern gearbeitet. Auf das Anbrüten im Anbrütekasten folgt die Endpflege, die bei umfangreichen Zuchtserien (mehr als 30 Zellen) in zwei Völkern parallel durchgeführt wird.

Entweder wird mit einem **Zuchtrahmen** oder mit einem **Zellenaufsatz** gearbeitet. Im Handel sind Anbrütekästen mit Zellenaufsätzen erhältlich, die pro Durchgang 50 Zellen aufnehmen.

Ein starkes Volk liefert die Jungbienen für den Anbrütekasten. Über den Fegtrichter werden Bienen von offenen und verdeckelten Brutwaben in den Anbrütekasten gegeben. Diese Bienen garantieren eine reichliche Futtersaftproduktion. Je nach Anbrütekasten und die dafür verwendete Wabenzahl variiert auch die benötigte Bienenmenge. Pro Wabe im Anbrütekasten werden ungefähr 1 ¾ bienenbesetzte Waben abgewischt.

Vor dem Abwischen der Bienen wird die Königin abgefangen und vorübergehend beiseite gelegt. Der Anbrütekasten wird für etwa 2 Stunden an einen schattigen Platz gestellt und die Königin dem angestammten Volk zurückgegeben.

In der Zwischenzeit werden die Waben für den Anbrütekasten vorbereitet. Dazu braucht es mindestens:
– eine Wabe mit frischem, offenem Blütenhonig
– eine Wabe mit frischem Pollen
– eine Wasserwabe

Für die Wasserwabe wird eine wenig bebrütete Leerwabe mit handwarmem Wasser gefüllt. Das Wasser wird von oben in die Zellen gegossen. In den leicht nach oben angewinkelten Zellen wird die Luft durch das einströmende Wasser verdrängt. Eine Wabe kann bis zu 1,5 l Wasser fassen. Da die Bienen im Anbrüter für 24 Stunden in Dunkelhaft gehalten werden, benötigen sie frisches Wasser, um den Futtersaft zu produzieren.

Der Zuchtstoff wird in die Zellenbecher umgelarvt oder umgesteckt.

Sobald die Bienen im Anbrüter brausen und sich weisellos fühlen (nach 2 bis 3 Stunden), werden die belarvten Zellen zugegeben. Der Kasten wird kräftig auf den Boden gestossen, das heisst, die Bienen werden auf den Boden des Anbrütekastens gestaucht. Dadurch quellen sie nicht sofort heraus, wenn nun zügig die vorbereiteten Waben eingesetzt werden. Der Zuchtrahmen soll zwischen Honig- und Pollenwabe platziert werden.

Der Anbrüter bleibt nun 24 Stunden ungestört an einem völlig dunklen Ort. Durch ein Gitter kann Luft zirkulieren. Die Idealtemperatur beträgt 18 °C.

**Technik der Königinnenzucht**

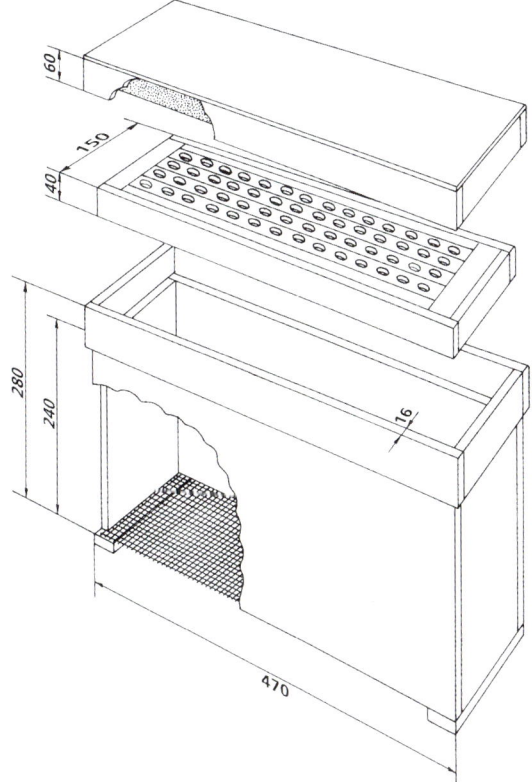

Abb. 19
**Anbrütekasten**
Dieser kleine Anbrütekasten fasst drei Zanderwaben. Wichtig sind gute Bodenbelüftung und Wärmeisolierung im Deckel. Die Distanz zwischen Wabentragleiste und Weiselbecher beträgt 4–5 cm.

Abb. 20
**Belarvte Königinnenzellen einstecken**
Die Bohrlöcher im Innendeckel des Anbrütekastens werden mit 19 mm breitem Maler-Abdeckband zugeklebt. Beim Einstecken der belarvten Weiselbecher wird das Klebeband Loch für Loch weggezogen. So können keine Bienen aus dem Anbrütekasten entweichen.

Abb. 21
**Königinnenzellen im Anbrüter nach einem Tag**
Ist die Pflege im Anbrütekasten gut, so setzen die Ammenbienen innert eines Tages am Kunststoff-Weiselbecher einen feinen Wachsrand an. Auch der dichte Bienenpelz unter der Zuchtlatte weist auf gute Pflege hin.

## 2 Technik der Königinnenzucht

Nach 24 Stunden sind die Zellen angebrütet. Sie werden zur Endpflege in weitere Völker gegeben. Spätestens nachdem eine weitere Serie Zellen angebrütet wurde, soll der Anbrüter aufgelöst werden. Seine Bienen werden dem angestammten Volk zurückgegeben. Dieses akzeptiert die Jungbienen problemlos. Zur Endpflege der angebrüteten Zellen gibt es zwei Varianten.

### Variante 1: Weiselloses Endpflegevolk

Die Endpflege der angebrüteten Zellen übernimmt ein weiselloses Volk. Zwei Stunden bevor die Zellen zugegeben werden, wird das Volk entweiselt. Dann wird das Volk eingeengt und eine Wabengasse wird vorbereitet. Absperrgitter vor dem Flugloch nicht vergessen!

Pro Endpflegevolk entfallen maximal 30 angebrütete Zellen. Beim Einsetzen der Zellen in den Zuchtrahmen wird deren Qualität geprüft: Der Zellenboden soll mit Futtersaft gedeckt und der Zellenrand bis zu 4 mm ausgezogen sein. Die Bienen auf den angebrüteten Zellen werden nicht entfernt. Bei fehlender Tracht wird mit Honigwasser gefüttert. Das Umschulen oder Käfigen der Weiselzellen wird wiederum am Tag 10 vorgenommen.

### Variante 2: Weiselrichtiges Endpflegevolk

Über oder hinter einem dicht schliessenden Absperrgitter können die angebrüteten Zellen auch starken Wirtschaftsvölkern zur Endpflege gegeben werden. Im Teil ohne Königin wird zwischen zwei Waben mit offener Brut eine Wabengasse für den Zuchtrahmen frei gelassen. Nach zwei Stunden wird der Zuchtrahmen mit maximal 15 angebrüteten Zellen in die Wabengasse gehängt.

Bei der Endpflege im weiselrichtigen Pflegevolk dürfen keine Königinnenzellen bis zum Schlupf im Volk verbleiben. Dieses würde wahrscheinlich mit der angestammten Königin schwärmen.

Endpflegevölker können mehrmals verwendet werden. Vor erneutem Gebrauch muss kontrolliert werden, ob das Volk Schwarmzellen gebildet hat, und die Waben mit offener Brut im abgesperrten Raum werden ersetzt.

Tab. 2

| Zuchttag | Datum (Beispiel) | Anbrütevolk | weiselloses Endpflegevolk | weiselrichtiges Endpflegevolk |
|---|---|---|---|---|
| −14 | 2.5. | | Beginn der Reizfütterung | Beginn der Reizfütterung |
| 0 −2−3 Std. | 16.5. | Anbrütekasten zusammenstellen | | |
| 0 | | Zucht einleiten: Zuchtrahmen oder Zellen einsetzen | | |
| 1 | 17.5. | angebrütete Zellen entnehmen, Bienen ins angestammte Volk zurückgeben | Königin entfernen, Volk einengen, Absperrgitter vor Flugloch, max. 30 angebrütete Zellen einsetzen | Absperrgitter einsetzen, Wabengasse vorbereiten, max. 15 angebrütete Zellen einsetzen |
| 10 | 26.5. | | Zellen verschulen, in Begattungskästchen oder Schlupfkäfige | Zellen verschulen, in Begattungskästchen oder Schlupfkäfige |
| 12 | 28.5. | | Schlupf der Königinnen | Schlupf der Königinnen |

Die Aufzucht über den Anbrüter wird von Imkern praktiziert, die zu einem bestimmten Termin viele Königinnen benötigen. Ohne Abfüllen der Begattungseinheiten beträgt der Zeitaufwand pro Serie je nach Kastentyp 8 bis 12 Stunden. Diese Methode ist vom Frühjahr bis im Spätsommer erfolgreich.

**Zucht mit Starter und Finisher**

Dieses Verfahren wurde in den USA entwickelt und wird dort vorwiegend in kommerziellen Zuchtbetrieben angewendet. Es eignet sich ausschliesslich für Magazinimker.

Wie beim Anbrüter wird auch hier in zwei Etappen gezüchtet. Zur Erstpflege der Zellen dient das Startervolk.

Ein Magazinvolk mit mindestens drei gut besetzten Zargen wird von den anderen Völkern separiert. Zwischen die Zargen wird je ein Absperrgitter eingelegt. Die Königin soll sich in jener Zarge befinden, in der wenig offene Brut vorhanden ist. Nach neun Tagen wird das Startervolk entweiselt. Mit der Königin und zwei Waben kann ein Ableger gebildet werden.

Das Volk wird nun von drei auf eine Zarge eingeengt. Als Randwaben werden je eine Honig- und eine Pollenwabe eingehängt. Dann folgen vier Waben mit verdeckelter Brut. Zwischen den Brutwaben werden zwei Wabengassen offen gelassen. Die restlichen Waben werden über dem Starter abgewischt. Am Flugloch wird ein Absperrgitter angebracht. Zwei Stunden später werden zwei Zuchtrahmen mit insgesamt 40 bis 60 umgelarvten Zellen in den Starter gehängt. Auch hier soll bei fehlender Tracht mit Honigwasser gefüttert werden.

Am folgenden Tag können die beiden Zuchtrahmen entnommen und durch zwei neue ersetzt werden. Die Endpflege erfolgt im Finisher, einem weiselrichtigen, starken Wirtschaftsvolk. Über einem Absperrgitter werden zwischen Waben mit offener Brut etwa 15 angebrütete Zellen eingehängt.

Innert fünf Tagen können mit dem Starter zwischen 200 und 300 Zellen angezogen werden. Bei grösserem Bedarf an Königinnen erhält der Starter neue, verdeckelte Brutwaben. So können über Wochen neue Zuchtserien gestartet werden.

Abb. 22

**Angebrütete Zellen aus dem Starter**

Starter können bereits mit 5 Waben gebildet werden, ideal jedoch sind 9 bis 10 Waben. Bei grossen Startern können 6- bis 8-mal in Serie umgelarvte Zellen zur Anzucht angesetzt werden. Pro Serie werden bis zu 60 Zellen angebrütet. Wenn laufend Jungbienen schlüpfen, ist stets genügend Futtersaft zur Brutpflege vorhanden.

## 2.6 Kostbare Königinnenzellen

Mit den Zuchtzellen hält die Imkerin oder der Imker die künftigen Königinnen und somit die Zukunft der Völker in den Händen.
24 Stunden angebrütete Larven gelten als relativ „robust". Sie überleben problemlos 5 bis 10 Stunden ausserhalb des Volkes. Da für die kleinen Larven genügend Futtersaft verfügbar ist, trocknen sie nicht aus. Allerdings sollen direkte Sonnenbestrahlung und grosse Hitze vermieden werden.
Ab dem zweiten Tag nach Zuchtbeginn bis zur Verdeckelung sollten die Zellen möglichst nicht bewegt werden; die Larven gleiten sonst leicht vom Futtersaft ab.
Acht Tage nach Ablage der Eier oder am fünften Larventag werden die Zellen verdeckelt. In den folgenden sechs Tagen dürfen sie nicht gestört werden. Die Rundmade wandelt sich zur Streckmade und über die Vorpuppe zur Puppe (→ Band „Biologie", S. 36). Wenn die Streckmade oder Puppe wegen Erschütterungen den Kontakt zum Zellenboden verliert, stirbt die Königin.
Am Tag 10 (14 Tage nach Ablage des Eies) ist die Königin bereits voll ausgebildet, doch ihr Chitinpanzer ist noch weich und weiss. Zu diesem Zeitpunkt können die Zellen umgesteckt werden. Zwar gelten sie nun als robust, doch sie sollen senkrecht gehalten und möglichst nicht erschüttert werden. Eine aufgerissene Zelle kann mit etwas weich geknetetem Wachs verschlossen werden. Der Chitinpanzer der Königin härtet erst am 16. Tag aus und nimmt dann die endgültige Färbung an.

Abb. 23
**Verbaute Königinnenzellen**
In der Trachtzeit oder bei übermässiger Reizfütterung neigen die Bienen dazu, die Weiselzellen zu verbauen. Mit einem Skalpell oder einem Teppichmesser können die verbauten Zellen vorsichtig voneinander getrennt werden. Okuliermesser dürfen nicht zu heiss sein.

## 2.7 Verwerten der Zellen (→ S. 32)

**Schlupf im Begattungskästchen**

Meist werden die Begattungseinheiten am Tag 9 gebildet und 24 Stunden in Kellerhaft gehalten. Sie müssen aber mindestens zwei Stunden vor dem Einsetzen der Weiselzellen erstellt werden (→ S. 30f.).

Am Tag 10 werden die Zellen direkt in die Begattungskästchen eingesetzt und bis zum Schlupf der Königinnen in den kühlen, dunkeln Keller gestellt. Die Bienen brauchen regelmässig frisches Wasser. Dies wird ein- bis zweimal pro Tag mit einem Zerstäuber durch das Belüftungsgitter ins Kästchen gesprüht.

Nach zwei Tagen (Tag 12) wird erstmals überprüft, ob die Jungköniginnen geschlüpft sind. Im Abstand von zwölf Stunden folgen weitere Kontrollen. Königinnen, die bis zum Tag 14 nicht schlüpfen, werden getötet. Auch wenn sie noch schlüpfen würden, wären sie minderwertig.

Zur Sicherheit kann man etwa drei Königinnen in Schlupfkäfigen im Pflegevolk schlüpfen lassen. Diese können den Begattungseinheiten zugesetzt werden, falls dort nicht alle Königinnen schlüpfen. So können bereits abgefüllte Begattungseinheiten doch noch genutzt werden. Eine Jungkönigin bleibt im Pflegevolk.

Schlüpft die Jungkönigin direkt im Volk oder im Begattungskästchen, so ist eine gute Harmonie gewährleistet.

**Schlupfkäfige**

Gewöhnlich schlüpfen die Königinnen zwischen dem 11. und 13. Tag nach dem Einleiten der Zuchtserie. Damit die erstgeborene Königin nicht die gesamte Zuchtserie zerstört, wenn sie im Pflegevolk schlüpft, können die Weiselzellen am 10. Tag in Schlupfkäfige gesteckt werden.

Im Schlupfkäfig sollte etwas kandierter Honig sein. Die Schlupfkäfige werden auf Hürdenrahmen ins Pflegevolk gehängt. Schlüpfende Königinnen mit sichtbarem Mangel können erkannt und ausgeschieden werden. Spätestens 24 Stunden nach dem Schlüpfen müssen die Jungköniginnen in die Begattungseinheiten gegeben werden, sonst werden die Bienen im Pflegevolk unruhig.

Abb. 24
**Weiselzellen verschulen**
Am 10. Tag werden die Königinnenzellen in Schlupfkäfige (oder auch direkt in Begattungskästchen) gesteckt. Im Handel sind verschiedene Schlupfkäfige aus Holz, Kunststoff oder Metall erhältlich.

## 2 Technik der Königinnenzucht

### Brutschrank (Inkubator)

Jungköniginnen können auch in einem Brutschrank schlüpfen. Ab Tag 5 werden die verdeckelten Zellen in den Brutschrank überführt, und im Pflegevolk kann eine neue Zuchtserie angesetzt werden. Dadurch können wesentlich mehr Königinnen aufgezogen werden.

In der Imkerei finden verschiedene Brutschränke Verwendung:
- einfache, selbst gebaute Kästen
- Eierbrüter
- professionelle Labor-Inkubatoren

Die Temperatur im Brutschrank soll konstant 35 ± 0,5 °C betragen und die relative Luftfeuchtigkeit zwischen 50 und 65 % liegen. Unter diesen Bedingungen entwickeln sich die Königinnen gut und schlüpfen termingerecht.

In einfachen Brutschränken wird die Luftfeuchtigkeit mittels feuchten Tüchern oder Wasserschalen aufrechterhalten. Bei dieser ungenauen Methode ist ein Hygrometer zur Messung der Luftfeuchtigkeit unerlässlich.

Abb. 25
**Wärmeschrank (Inkubator)**
In professionellen Brutschränken werden sowohl Temperatur als auch Luftfeuchtigkeit elektronisch gesteuert.

# 3 Begattung der Königin

Charles Maquelin

Die junge Königin legt befruchtete Eier, nachdem ihre Samenblase mit Spermien gefüllt wurde. Weit entfernt vom Volk wird die Königin im Flug von Drohnen begattet. Mit geeigneten Massnahmen versuchen Züchterinnen und Züchter ihre Königinnen erfolgreich mit wertvollen Drohnen zu paaren.

Abb. 26
**Belegstation**
Die *Carnica*-Belegstelle in Rhäzüns beherbergt ihre Drohnenvölker in einer ehemaligen Militärbaracke, die zudem genügend Platz für Zuchtkurse und Vereinszusammenkünfte bietet. Vorne stehen Begattungskästchen.

Abb. 27
**Prüfstand**
Dieses private Bienenhaus im Eriz (1000 m ü. M.) dient einer *Mellifera*-Zuchtgruppe als Prüfstand. Die Leistung und das Verhalten von ungefähr vier Jungvölkern mit Zuchtköniginnen der Linie „Schwarzi Flue" werden hier während einiger Zeit mit Standvölkern verglichen.

# 3 Begattung der Königin

## 3.1 Unerwünschte, fremde Königin

Ein weiselloses Volk mit offener Brut nimmt keine unbegattete, fremde Königin an. Sobald aber alle Brutzellen verdeckelt sind, kann man die Weiselzellen ausbrechen und eine unbegattete Königin im Zusetzapparat einweisen (→ S. 44). Auch diese Königin wird nicht immer angenommen. Sicherer wäre die Annahme einer reifen Zuchtzelle. Wenn die junge Königin erfolgreich schlüpft, steht ihr noch der Begattungsflug bevor. Geht sie dabei verloren, bleibt das Volk weisellos und ist schwer zu retten.

Die Einweiselung einer begatteten Königin ist weniger riskant. Deshalb bilden Züchterinnen und Züchter mit den unbegatteten Königinnen in Begattungskästchen kleine Völker. Nach erfolgreicher Begattung beginnen die Jungköniginnen mit der Eilage und werden anschliessend in grössere Völker eingeweiselt.

## 3.2 Begattungsvölkchen bilden

**Begattungskästchen**
Es gibt verschiedene Modelle von Begattungskästchen:
**Ein-Waben-Begattungskästchen** enthalten nur eine Wabe. Sie sind mit Glaswänden versehen, damit Königin und Brut kontrolliert werden können, ohne die Kästchen öffnen zu müssen. Für einen ausgeglichenen Wärmehaushalt werden vier Kästchen zusammen in einer gut isolierten Kiste untergebracht. Die kleinsten Begattungskästchen bieten Platz für etwa 1 dm$^2$ Wabenbau und ungefähr 500 Bienen. Grössere enthalten eine halbe oder sogar eine ganze Honigwabe. Beim Auflösen der Völker nach der Begattung können grosse Waben mit Brut leicht in Standvölkern verwertet werden (→ S. 48). Allerdings ist der Wärmehaushalt bei den kleinen Ein-Waben-Begattungskästchen ausgeglichener als bei den grossen. Bei ungünstigem Wetter sind deshalb die kleinen Ein-Waben-Begattungskästchen zu bevorzugen.

Abb. 28
**Ein-Waben-Begattungskästchen**
Auf vielen deutschen Belegstationen werden nur Ein-Waben-Kästchen angenommen. Bei diesen lässt sich leicht kontrollieren, ob versehentlich Drohnen mitgeführt werden. Die kleinsten, sehr beliebten Erlanger Kästchen (rechts) werden mit nur 50 g Bienen gefüllt.

**Begattung der Königin**

Abb. 29
**Drei-Waben-Begattungskästchen**
Die alten Schweizer „Ordonanzkästchen" (rechts) enthalten drei Waben. Diese sind mit einer Schraube am inneren Kästchendeckel befestigt. Diese Kästchen werden mit 250 g Bienen gefüllt. Die neueren Apideakästchen fassen drei getrennte Rähmchen und eine durchsichtige Abdeckung. Bei diesen Kästchen werden nur etwa 100 g Bienen eingesetzt.

**Drei-Waben-Begattungskästchen** fassen drei Waben. Diese Kästchen können separat aufgestellt werden. Auch hier gibt es Modelle mit kleinen Waben und andere mit normalen Honigwaben. Die grösseren Kästchen verlangen dem Volumen entsprechend mehr Bienen.

Die Begattungskästchen sollen den Bienen guten Kälteschutz bieten. Früher wurden sie ausschliesslich aus Holz hergestellt; heute werden immer häufiger Styroporkästchen benützt. Sie isolieren besser, sind leichter und trotz geringerer Beständigkeit billiger als hölzerne.

**Begattungskästchen vorbereiten**
Die gewissenhafte Vorbereitung der Kästchen ist wichtig für das Wohlbefinden der Begattungsvölkchen. Weder an heissen Tagen noch bei Erschütterung darf Futter durch eine Spalte sickern, sonst würden Raubbienen angelockt, was für das Begattungsvölkchen fatal wäre. Deshalb wird nicht flüssig, sondern mit Futterteig gefüttert. Ein guter Futterteig ist weich, damit die Bienen leicht daran nagen können; aber doch fest genug, dass sie darauf ohne einzusinken gehen können. Im Bienenfachhandel ist Futterteig aus Zucker ohne Honig erhältlich. Imkerinnen und Imker können eine Honig-Puderzucker-Mischung selbst anfertigen.

Die Begattungskästchen werden mit Wabenstreifen ausgestattet. Gebrauchte kleine Waben werden auf ein Drittel zurückgeschnitten oder durch einen Streifen Mittelwand ersetzt. Es ist zwar etwas aufwändiger, frische Mittelwände einzusetzen, doch diese stimulieren die Bautätigkeit des Volkes besser.

## Begattung der Königin

### Rezept für Honigfutterteig

(für 20–25 Drei-Waben-Kästchen)
3–3,5 kg flüssiger Blütenhonig und 10 kg Puderzucker in einem Becken gut mischen.
Unter Zusatz von wenig Wasser Teig kneten, bis er die richtige Konsistenz hat.
Achtung! Ein Wassertropfen zu viel und der Teig ist weich und klebrig. Er darf nicht an den Händen kleben.

### Tipps
Der Honig lässt sich besser bearbeiten, wenn er auf 30–40 °C erwärmt wird.
Grosse Mengen beim Bäcker kneten lassen.
Durch Zusatz von 1 dl Rapsöl wird der Teig geschmeidiger.

In den grösseren Kästchen mit Waben von gebräuchlichen Beutensystemen werden ausgebaute Waben eingehängt. Diese können auch teilweise verdecktes Futter enthalten.
Die Bienen dürfen während des Kellerarrestes oder auf dem Transport nicht ersticken. Deshalb haben alle Kästchen grosse Lüftungsgitter.
Das Flugloch ist bienendicht verschliessbar und kann auf zwei Positionen eingestellt werden; vor der Begattung ist die Öffnung weit, nach der Begattung eng (Absperrgitter-Abstand).

### Begattungskästchen bevölkern
Je nach Grösse des Begattungskästchens werden 50–300 g Bienen eingefüllt. Die Bienen des Zuchtvolkes eignen sich ausgezeichnet zur Bevölkerung von Begattungskästchen. Sie erwarten eine Königin und akzeptieren die angebotene Jungfer problemlos, egal ob diese sofort, nach einigen Stunden oder nach einem Tag zugesetzt wird. In die Begattungskästchen sollten möglichst nur Jungbienen gegeben werden, da die Königin drei Wochen oder länger lediglich durch diese gepflegt wird. Um die alten Bienen auszuscheiden, wird ein Kunstschwarm mit einer eingekäfigten, jungen Königin gebildet. Zur Zeit des stärksten Sammelfluges werden Bienen von Brutwaben in die Schwarmkiste abgewischt. Damit die Bienen nicht auffliegen, werden sie meist vor dem Abfegen besprüht. Es empfiehlt sich, dabei ein Sprühmittel gegen die Varroamilbe zu verwenden. Einige Belegstationen verlangen eine entsprechende Behandlung der Bienen. Die Bienen beruhigen sich, wenn die Schwarmkiste einige Stunden an einem kühlen, dunklen Ort steht.
Falls das Zuchtvolk nicht genügend Bienen für alle Kästchen abgibt oder dieses eine weitere Zuchtserie aufziehen soll, müssen Bienen aus anderen Völkern hinzugewischt werden. Dazu ideal sind Völker, die Weiselzellen pflegen, ihre Bienen erwarten nämlich eine Jungkönigin. Falls kein solches Volk vorhanden ist, wird aus Bienen von weiselrichtigen Völkern ein Kunstschwarm gemacht. Dieser kommt zwei Tage in Kellerarrest und muss in dieser Zeit flüssig gefüttert werden. Wenn Begattungsvölkchen auf eine Belegstation gebracht werden, müssen sie garantiert drohnenfrei sein. Um drohnenfreie Völker zu bilden, werden die Bienen durch ein Absperrgitter gesiebt.
Am leichtesten und schnellsten werden die Begattungskästchen in den kühlen Morgenstunden oder nach Sonnenuntergang abgefüllt.

## Begattung der Königin

Abb. 30
**Drohnensieb**
Die Begattungsvölkchen dürfen keine Drohnen mitführen. Mit einem Brett oder einem feinmaschigen Gitter werden die Bienen durch ein Drohnensieb getrieben. Als Sieb dient eine Zarge mit einem Absperrgitter, die auf die Schwarmkiste passt. Die im Sieb verbleibenden Drohnen dürfen nicht freigelassen werden, ehe alle Kästchen abgefüllt sind.

### Drohnenfreier Kunstschwarm im Schweizerkasten

In einem leeren Schweizerkasten wird: das Flugloch geschlossen, ein Absperrgitter auf die Tragleisten des Brutraumes aufgelegt, eine begattete Königin in einem Drahtkäfig an der Kastendecke angeheftet, der Honigraum mit Honigraumfensterchen bienendicht abgeschlossen, die gewünschte Menge Bienen in den Bienentrichter gefegt. Die Arbeiterinnen laufen nun durch das Absperrgitter nach oben zur Königin und bilden dort eine Bienentraube. Die Drohnen können nicht durchs Absperrgitter und fliegen bis am Abend ab. Am nächsten Morgen können die Bienen von der Traube abgeschöpft und in die Begattungskästchen abgefüllt werden.

Abb. 31 (rechts)
**Bienen abschöpfen**
In der Schwarmkiste hat sich um die gekäfigte Königin eine Bienentraube gebildet. Mit einer Kelle oder Tasse werden von dieser Traube sorgfältig Bienen abgeschöpft. Das Volumen der Kelle oder Tasse entspricht ungefähr einem Drittel des Kästchenvolumens.

Abb. 32 (unten)
**Abfüllen der Begattungskästchen**
Wie Pudding werden die Bienen aus dem Schwarm geschöpft und in die offenen Begattungskästchen gegossen. Dabei fliegen nur selten Bienen davon. Die Kästchen werden sofort verschlossen.

## 3 Begattung der Königin

### Unbegattete Königinnen zusetzen

Erwarten die Bienen eine Jungkönigin, so sind beim Zusetzen keine Vorsichtsmassnahmen zu treffen. Beim Abfüllen der Kästchen kann die Königin einfach in die Bienenmasse geworfen werden. Sie verschwindet dann sofort im Gewühle. Auch durch das kurz geöffnete Flugloch oder das obere Loch im Deckel kann die Königin eingeführt werden. Eine reife Weiselzelle lässt sich ebenfalls durch das Deckelloch zusetzen (→ S. 25).

Wenn die Bienen nicht aus dem Zuchtvolk stammen, ist Vorsicht geboten. Um die Annahme der Königin zu verbessern, kann sie vor dem Zusetzen in lauwarmes Honigwasser getaucht oder in einem kleinen, mit Futterteig verschlossenen Käfig ins Volk gegeben werden. In diesem Fall ist jedoch das Zusetzen schlupfreifer Königinnenzellen an Stelle geschlüpfter Königinnen sicherer.

### Begattungsvölkchen ruhen lassen

Die abgefüllten Kästchen ruhen zwei bis drei Tage im Keller. In dieser Zeit bildet sich aus Jungkönigin und Bienen ein harmonisches Kleinvolk. Die Baubienen erzeugen Wachs und beginnen mit dem Wabenbau. Futterteig wird umgearbeitet und in den neuen Wäbchen eingelagert. Dazu benötigen die Bienen Wasser. Durch das Lüftungsgitter wird täglich einmal Wasser in das Kästchen gesprüht. Unmittelbar vor dem Transport empfiehlt es sich, die Kästchen nochmals zu besprühen.

Richtig vorbereitete Begattungsvölkchen mit guter Harmonie verlassen ihre Kästchen nicht, wenn sich die Königin auf der Belegstation zum Begattungsflug aufmacht. Sie erwarten ruhig die Rückkehr der Königin.

Abb. 33
**Unbegattete Königin zusetzen**
Die Königin läuft aus dem Schlupfkäfig durch das Loch im Deckel des Apideakästchens direkt ins Begattungsvölkchen. Der frische Wabenbau in den blauen Wabenrahmen ist knapp sichtbar. Rechts befindet sich der Futterteig, der von den Bienen stark belagert wird.

Abb. 34
**Ruhezeit**
Bauende Bienen erzeugen Wärme. Pro Kästchen dürfen nicht zu viele Bienen abgefüllt werden, und die Luftzirkulation muss stets gewährleistet sein. Daher sollen die Kästchen mit einem gut bemessenen Lüftungsgitter ausgestattet sein und dürfen nicht zu eng gestapelt werden. Sonst können die Bienen Schaden nehmen (verbrausen).

## 3.3 Natürliche Begattung

### Standbegattung

Die Begattungskästchen werden mindestens 1, besser 3 km vom Bienenstand entfernt aufgestellt. Sonst können sie ausgeraubt werden. Es ist vorteilhaft, auf mindestens zwei Bienenständen zu imkern und dabei einen für schwache Völker, Brutableger und Begattungsvölkchen zu reservieren.

An der Begattung der Königinnen beteiligen sich vor allem Drohnen aus dem Umkreis von etwa 5 km. Drohnen brauchen nach dem Schlupf ungefähr 15 Tage, bis sie geschlechtsreif sind. So vergehen rund 40 Tage von der Ablage des unbefruchteten Eies bis zum Ausflug der paarungsbereiten Drohne. Da in den Völkern schon Mitte März bis Mitte April Drohnen aufgezogen werden, müssen sich Imkerinnen und Imker in der üblichen Zuchtzeit bei Standbegattungen nicht um die Drohnen kümmern.

### Belegstellenbegattung

Viele Imkervereine führen einen speziellen Bienenstand, auf dem die Mitglieder ihre Königinnen begatten lassen können. Ist diese Belegstation nicht mindestens 10 km von den umliegenden Ständen entfernt, dann können sich an der Begattung auch fremde Drohnen beteiligen. Die Leitung einer Belegstation sorgt dafür, dass während der Begattungszeit genügend Drohnen vorhanden sind. Diese werden in den auf der Belegstation aufgestellten, selektionierten Völkern (Drohnenvölker) erzeugt.

Gehört der Imker noch keiner Züchtergruppe an, muss er sich vor dem Einleiten der Zucht für eine Belegstation entscheiden und sich über deren Vorschriften orientieren. Stationsleiter geben bekannt, ab welchem Datum die Belegstation geöffnet ist, an welchen Tagen Kästchen aufgestellt werden (Auffuhrtage) und nach welchen Regeln gearbeitet wird.

Bei der Auswahl soll auch beachtet werden, dass Königinnen und Drohnen nicht verwandt sind. So wird Inzucht vermieden. Gezielte Inzuchtpaarungen sind nur bei speziellen, gezielten Schritten in Zuchtprogrammen angebracht.

Die Kriterien für die Anerkennung reinrassiger Belegstationen sind im Zuchtkonzept des VDRB festgehalten. Dieses Zuchtkonzept wurde 1994 vom VDRB und dem Zentrum für Bienenforschung der FAM Liebefeld erstellt und kann bei der Geschäftsstelle VDRB, 6235 Winikon, bezogen werden.

Abb. 35
**Drohnenwabe im Drohnenvolk**
Um 100 Königinnen zu begatten, braucht die Belegstation ungefähr 5000 Drohnen (ca. 20 dm$^2$ Drohnenbrut). Die Pflege der Drohnenvölker muss gut geplant werden. Die Zahl der Drohnenvölker und die Drohnenbrutfläche soll der Zahl der aufzuführenden Königinnen entsprechen. Damit die Drohnen stets ausreichend flüssigen Honig in den Waben finden, müssen die Drohnenvölker nötigenfalls gefüttert werden. Schlecht ernährte Drohnen können zwar überleben, aber zur Begattung taugen sie nicht.

## 3 Begattung der Königin

**Begattungsvölkchen aufstellen**

Die Königin muss nach den Ausflügen in ihr Volk zurückfinden. Um ihr dies zu erleichtern, werden die Begattungskästchen im Abstand von einem bis zwei Metern aufgestellt. Wenn den Bienen gute Orientierungshilfen geboten werden und die Fluglöcher nach verschiedenen Himmelsrichtungen orientiert sind, können die Kästchen auch gruppiert aufgestellt werden. Orientierungshilfen sind zum Beispiel Wiesen mit Büschen unterschiedlicher Höhe, grosse Steine oder farbige Marken an den Kästchen. Beim Rückflug orientiert sich die Königin nicht nur nach den visuellen Marken, sondern auch nach dem Geruch des Volkes. Die Bienen helfen ihr, indem sie sterzelnd ihre Rückkehr erwarten.

Vier Kästchen können auch in einem Block aufgestellt werden, wenn ihre Flugrichtungen um je 90 Grad versetzt sind. Erfahrungen belegen, dass die Ausrichtung der Kästchen den Erfolg der Begattung nicht beeinflusst. Zwischen den Blöcken soll ein Abstand von mindestens zwei Metern eingehalten werden.

Manchmal kehrt die Königin vom Flug nicht zurück. Die wartenden Bienen nehmen dann problemlos eine zufliegende, fremde Königin an. Wird die Königin vor der Begattung gezeichnet und die Plättchennummer auf dem Kästchen vermerkt, lässt sich dies leicht nachweisen (→ S. 40).

Kontrollen werden stets am Abend vorgenommen, da sich tagsüber niemand zwischen den Kästchen aufhalten sollte.

Abb. 36

**Belegstation Tovassière (Morgins, VS)**

Auf der Belegstation stehen viele starke Drohnenvölker von selektionierten Schwesternköniginnen (im Hintergrund). Die Begattungskästchen sind auf dem abwechslungsreichen Gelände unregelmässig angeordnet, damit die Königinnen nach dem Ausflug ihre eigenen Völkchen wieder finden.

Abb. 37
**Schutz vor Waldameisen**
Auf dieser Belegstation werden die Begattungskästchen auf Pfähle gestellt, um sie gegen Waldameisen zu schützen.

### Die Königin fliegt aus!

Im Alter von fünf bis zwölf Tagen fliegen die Königinnen zum ersten Mal aus. Die bevorzugte Tageszeit ist zwischen 13 und 17 Uhr und bei Temperaturen über 20 °C. Wird der Ausflug durch schlechtes Wetter verhindert, so verlässt die Königin das Kästchen bei einer Wetterbesserung, auch wenn die Temperatur unter 20 °C liegt. Nach kurzen Orientierungsflügen folgen die eigentlichen Begattungsflüge, die 20 bis 50 Minuten dauern.

Die Königinnen werden immer im Flug begattet und selten in der Nähe ihres Volkes. Sie fliegen meist 2–3 km, manchmal auch bis zu 5 km weit. Deshalb muss die Königin vor dem Ausflug genügend Futter aufnehmen, sonst bleibt sie irgendwo erschöpft liegen und ist verloren. Auch Drohnen fliegen im Mittel 2–5 km weit. Dieses natürliche Verhalten begünstigt bei Standbegattung die Befruchtung durch nicht verwandte Drohnen und vermeidet somit Inzucht (→ S. 75 f.).

### Drohnensammelplatz

Königinnen durchfliegen eine Fläche von über 30 km$^2$. Die Geschlechtstiere treffen sich auf bestimmten Arealen von einer bis neun Hektaren (ca. 100–300 m im Durchmesser). Diese Drohnensammelplätze werden von den Drohnen als bevorzugte Aufenthaltsorte genutzt. Sie werden während der gesamten Bienensaison und über Jahre hinweg beibehalten. Drohnen und wahrscheinlich auch Königinnen finden die Sammelplätze aufgrund natürlicher Orientierungsmarken, wie zum Beispiel Gestalt der Landschaft, Sonneneinstrahlung, Art der Vegetation und vermutlich Erdstrahlen.

Für Menschen sind Drohnensammelplätze nicht leicht zu erkennen. Das Verhalten der Drohnen und Königinnen auf diesen Sammelplätzen haben die Brüder Ruttner in Lunz am See (Österreich) und Luzio Gerig vom Zentrum für Bienenforschung in Liebefeld eingehend erforscht (21, 16). Dabei hat sich gezeigt, dass Drohnen bis zu 15 km weit fliegen. Entsprechend schwierig ist es, drohnensichere Belegstationen zu errichten. Da in der Schweiz die Bienendichte sehr hoch ist, kann eine unkontrollierte Begattung vermutlich nur auf wenigen Gebirgsstationen ausgeschlossen werden (→ Abb. 104, S. 101).

## 3 Begattung der Königin

### Begattung

Sobald die Königin auf dem Drohnensammelplatz ankommt, wird sie von einem kleinen Drohnenschwarm verfolgt. Wie ein Kometenschweif fliegen die Drohnen hinter der Königin her. Die schnellste Drohne holt sie ein und kopuliert im Flug. Die Geschlechtsorgane der Drohne werden dabei aus dem Abdomen gepresst und in die Scheide der Königin eingeführt. Nach Abgabe des Samens stirbt die Drohne und fällt auf den Boden. Erhärteter Schleim und Teile des Zwiebelstückes bleiben als Begattungszeichen in der Scheide der Königin stecken. Die nachfolgende Drohne entfernt das Begattungszeichen vor der Kopulation (→ Band „Biologie", S. 47)

Der Samen wandert nicht sofort und oft nur teilweise von der Scheide in die Samenblase. Nach dem ersten Begattungsflug kann die Königin weitere Flüge unternehmen, bis ihre Samenblase gefüllt ist. Diese enthält dann etwa 5 Millionen Samenfäden, die von 8 bis 12 verschiedenen Drohnen stammen. Die Samenmenge genügt, um die Eier während mehrerer Jahre zu befruchten.

Bei Standbegattung wird angenommen, dass die Gatten einer Königin unterschiedlicher Herkunft sind. So sichert die Natur die genetische Vielfalt der Bienen. Von Natur aus würde diese genetische Vielfalt im Rahmen der geografischen Rassen bleiben. Was aber Imker durch die Einfuhr von fremdrassigen Königinnen bewirken können, geht weiter als die natürliche Erhaltung der vielfältigen Erbanlagen. Die Rassenmischung bringt Erbanlagen zusammen, die nicht alle aufeinander abgestimmt sind. Dies bringt zwar manchmal kurzfristig Vorteile, ist aber langfristig für die Imkerei oft nachteilig.

Abb. 38

**Drohnenschwarm um Königinnenattrappen**

Der Fesselballon mit den Attrappen lockt die Drohnen an, und zwar selbst dann, wenn die Attrappen keinen Königinnensexualduft verströmen. Deutlich zu erkennen ist die typische Anflugformation der Drohnenschwärme von unten her an zwei unterschiedlich grosse Attrappen. Mit der Fesselballon-Methode können Drohnensammelplätze geortet werden, denn einzig dort vollführt sich dieses Schauspiel.

## 3.4 Beginn der Eiablage

Gut gepflegte Königinnen kommen rasch in Eilage. Ab dem 8. Lebenstag können sie bereits zwölf Stunden nach dem letzten Begattungsflug Eier legen. Normalerweise setzt die Eilage zwischen dem 8. und 18. Lebenstag ein. Wenn Königinnen trotz guter Ausflugmöglichkeiten am 21. Tag noch nicht legen, müssen sie ausgeschieden werden. Waren sie bis zu diesem Alter eingesperrt (z. B. verschlossenes Kästchen), können sie zwar noch begattet werden, doch ihre Qualität ist nicht gesichert. Meist wollen sie nicht mehr ausfliegen und werden von ihren Begleitbienen misshandelt, verletzt, ja sogar getötet. Falls diese Königinnen legen, werden sie oft nach kurzer Zeit drohnenbrütig. Ältere Königinnen können hingegen problemlos instrumentell besamt werden.

Ob eine Königin richtig begattet wurde, kann erst beurteilt werden, wenn sie ein kleines Brutnest angelegt hat. Am besten wird bis zur Verdeckelung dieser Brut gewartet. Die erste Kontrolle findet erst zwei bis drei Wochen nach dem Aufstellen der Begattungskästchen statt. Dabei sind auch weisellose Kästchen anzutreffen. Diese werden oft ausgeraubt und sind daher ein Risiko für nebenstehende, weiselrichtige Kästchen. Sie müssen sofort entfernt werden. Solange die Futterquellen fliessen und genügend Bienen vorhanden sind, können gute Königinnen längere Zeit in ihren Begattungskästchen bleiben, auch wenn kein Platz mehr für die Eiablage bleibt. Ein aus Platzmangel bedingter Brutstopp schadet der Königin nicht.

Achtung! In trachtlosen Zeiten werden die kleinen Begattungsvölker oft ausgeraubt. Auch wenn sich die Bienen gut verteidigen, kann die Königin dabei Schaden nehmen. Wenn es nicht honigt, sollten die Königinnen nicht lange in den Begattungskästchen bleiben.

Abb. 39
**Kontrolle der Eiablage**
Zwei Wochen nachdem die Kästchen aufgestellt wurden, wird die Eiablage kontrolliert. Regelmässig bebrütete Wäbchen deuten auf eine gute Begattung hin.

## 3.5 Instrumentelle Besamung

In den letzten Jahrzehnten wurde die instrumentelle Besamungstechnik kontinuierlich verbessert. Heute sind künstlich besamte Königinnen natürlich begatteten nahezu ebenbürtig. Die instrumentelle Besamung ist arbeitsintensiv und erfordert viel Erfahrung. Bei langjährigen Selektionsprojekten ist ihre Anwendung berechtigt. Zur Begattung von Königinnen für Wirtschaftsvölker genügt aber eine isolierte Belegstation.

Instrumentell besamt wird in zwei Schritten.

### 1. Gewinnen des Samens von den Drohnen

Im Alter von 25 Tagen sind die Drohnen reif zur Samenentnahme. Bis dahin sollen sie sich von Honig und Pollen ernähren und in einem Flugkäfig fliegen können. Bei Druck auf den Hinterleib stülpen die Drohnen ihre Genitalorgane aus. Unter der Lupe wird mit einem Mikromanipulator der gelbliche Samen ohne den dickflüssigen, weissen Schleim aufgesaugt. Zur Begattung einer Königin braucht es die Samenmenge von 12 bis 15 Drohnen.

### 2. Besamen der Königin

Zwei Kohlendioxid-Narkosen bewirken, dass die Königin zügig in Eilage geht. Während einer oder beiden Narkosen kann besamt werden. Zur Fixierung wird die Königin in ein enges Rohr geschoben. Die Spitze ihres Hinterleibes ragt knapp aus dem Rohr. Die Geschlechtsöffnung wird mit einem Mikromanipulierhaken gespreizt und anschliessend die Kanüle der Samenspritze eingeführt.

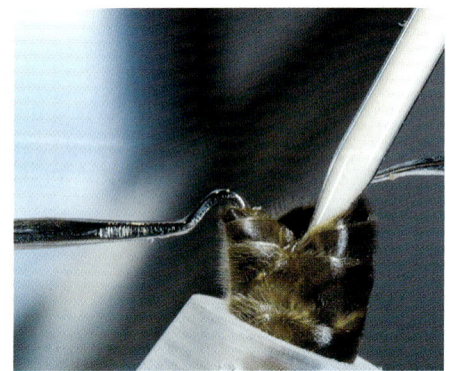

**Künstliche Besamung**

Abb. 40
Besamungsgerät nach Schley mit Stereomikroskop, Kaltlichtlampe und temperierbarem Drohnenflugkäfig (rechts).

Abb. 41
In die Geschlechtsöffnung der narkotisierten Königin wird mit Hilfe von Glaskapillaren die Samenflüssigkeit eingespritzt.

# 4 Königinnen verwerten

Hanspeter Hugentobler
Ruedi Ritter

Zuchtköniginnen aufzuziehen bereitet Freude, aber auch viel Arbeit. In diesem Kapitel werden die letzten Arbeitsschritte der Königinnenzucht beschrieben. Die Jungköniginnen müssen in Völkern eingeweiselt werden, die gross genug sind, um den Winter zu überstehen. Erst im folgenden Jahr wird sichtbar, ob die Zuchtarbeit erfolgreich war.

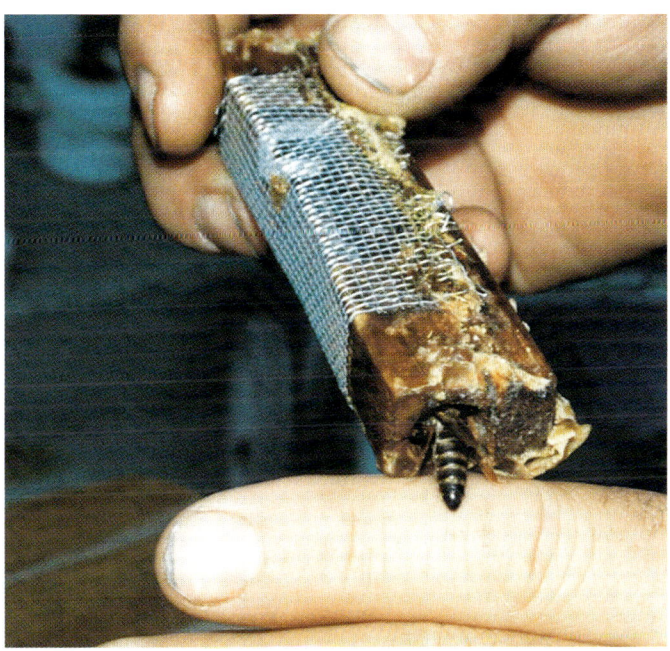

Abb. 42
**Königin läuft in Zusetzer**
Im Zusetzkäfig ist die Jungkönigin vor den „Launen" des Empfängervolkes während einer Angewöhnungszeit geschützt. Sie kann durch das Gitter mit den Bienen gefahrlos Kontakt aufnehmen und sich füttern lassen (→ S. 44).

Abb. 43
**Ablegerbildung**
Der Ablegerkasten im Zandermass fasst vier Brutwaben. Brutableger eignen sich besonders gut zur Aufnahme von begatteten Jungköniginnen. Neun Tage nach der Bildung des Ablegers wird die Königin zugesetzt. Zuvor müssen alle wilden Nachschaffungszellen ausgebrochen werden.

# 4 Königinnen verwerten

## 4.1 Königinnen zeichnen

Jede Königin wird mit einem nummerierten Plättchen oder mit Farbe gezeichnet und die Markierung auf der Zuchtkarte festgehalten. So kann später festgestellt werden, ob die ursprünglich zugesetzte Königin noch im Volk lebt. Da sich Königinnen auf Belegstellen oft verfliegen, ist es von Vorteil, die Königin vor der Auffuhr zu zeichnen. Verschiedentlich wird empfohlen, die frisch geschlüpften Königinnen gleich bei der ersten Kontrolle zu zeichnen (27). Diese Jungköniginnen sind einfacher zu zeichnen, weil sie noch nicht richtig fliegen und weniger flink sind als ältere.

Abb. 44
**Zeichnen der Königin**
Die Königin wird zwischen Daumen und Zeigefinger am Brustteil gehalten. Auf den Rückenschild des Brustabschnittes wird ein Farbtupfen aufgemalt oder ein Nummernplättchen aufgeleimt. Kopf, Nacken und Flügelansätze dürfen auf keinen Fall mit Farbe oder Klebstoff verschmiert werden.

Abb. 45
**Zeichnungsapparate**
Wer die Königin nicht anfassen möchte, kann zu ihrer Fixierung einen Zeichnungsapparat verwenden.

Unten links: Zeichnungsgerät mit Stöpsel
Unten rechts: Zeichnungskäfig mit Metallstäben und Schaumstoffunterlage

# Königinnen verwerten

Eine Königin unbekannter oder nicht eindeutiger Herkunft ist für die gezielte Zuchtarbeit wertlos. Königinnen, die ihr Zeichen verloren haben, können nachgezeichnet werden, wenn sichergestellt ist, dass es sich um die betreffende Königin handelt.

Die Jungköniginnen werden erst etwa zehn Minuten nach dem Zeichnen zugesetzt, da der Geruch von Farbe oder Leim die Bienen irritieren kann und die Königin dann möglicherweise getötet wird.

Jedes Jahr wird eine andere Zeichnungsfarbe verwendet. Der internationale Farbcode ist nach der Endziffer des Jahrganges geregelt:

Tab. 3

| Jahr | | Zeichenfarbe |
|---|---|---|
| xxx1 | xxx6 | weiss |
| xxx2 | xxx7 | gelb |
| xxx3 | xxx8 | rot |
| xxx4 | xxx9 | grün |
| xxx5 | xxx0 | blau |

## 4.2 Flügel schneiden

Eine Königin mit gestutztem Flügel fällt beim Schwärmen sofort zu Boden, und der Schwarm kehrt ins Muttervolk zurück. Dadurch gewinnt der Imker Zeit, weil sich die Intervalle zwischen zwei Schwarmkontrollen verlängern ( › Band „Imkerhandwerk", S. 48, 79).

Ein weiterer Vorteil besteht darin, dass eine Königin anhand des Flügelschnittes identifiziert werden kann, wenn sie ihr Zeichen verloren hat.

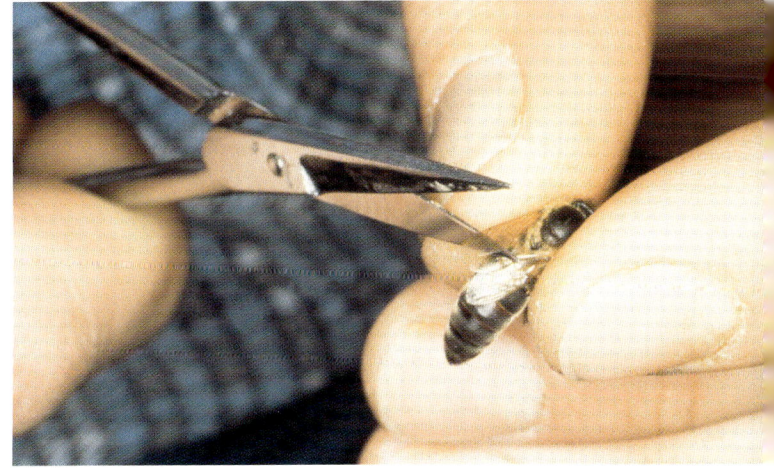

Abb. 46
**Flügelschnitt**
Beim Flügelschnitt wird ein Vorderflügel mit einer feinen Schere um etwa zwei Drittel gekürzt. Werden beide Flügel geschnitten, besteht die Gefahr, dass die Königin ihre Flugfähigkeit nicht vollständig einbüsst und mit den Schwarmbienen davonfliegt.

## 4.3 Voraussetzungen für die Annahme einer Königin

Damit ein Volk die zugesetzte Königin annimmt, müssen günstige Rahmenbedingungen geschaffen werden:

**Zustand des Empfängervolkes**

- Nur einem **weisellosen** Volk kann erfolgreich eine neue Königin zugesetzt werden. Manche Völker dulden neben einer alten oder geschwächten Königin eine Jungkönigin. Wird diese bei der Durchsicht übersehen, ist der Misserfolg vorprogrammiert.
- Jungbienen akzeptieren eine neue Königin besser als Altbienen. Wird die Königin in ein Volk eingesetzt, das schon längere Zeit weisellos war und überwiegend aus älteren Bienen besteht, ist deshalb besondere Vorsicht geboten. Sind bereits Bienen vorhanden, die Eier legen (= Afterköniginnen), muss das Volk aufgelöst werden.
- Völker ohne offene Brut haben keine Möglichkeit mehr, eine eigene Königin nachzuziehen. Sie nehmen eine Königin besser an als Völker mit offener Brut.
- Je grösser ein Volk ist, desto mehr Pheromone muss die Königin produzieren, damit sich das Volk nicht weisellos fühlt und Nachschaffungszellen ansetzt. Grosse Völker sind deshalb schwierig umzuweiseln.
- Leerräume und Brut ziehen Jungbienen an. Damit die eingesetzte Königin von vielen Jungbienen umgeben ist, hängen wir den Zusetzer mit der Königin in einen Leerraum zwischen zwei Brutwaben. In brutlose Völker mit vorwiegend alten Bienen werden zwei verdeckelte Brutwaben eingehängt.
- Ruhige, friedfertige Völker nehmen eine neue Königin eher an als unruhige und stechlustige.
- Völker mit wenig Futter stechen zugesetzte Königinnen häufiger ab. Deshalb werden Völker mit wenig Futter vor dem Umweiseln aufgefüttert. Räuberei muss dringend vermieden werden.
- Ist ein Volk in Schwarmstimmung, so wird es kaum eine neue Königin annehmen.
- Stimmen Rasse von Volk und Königin nicht überein, ist beim Umweiseln Vorsicht geboten.

**Weiselprobe**

Oft ist nicht klar, ob ein Volk ohne offene Brut wirklich weisellos ist. In diesem Fall ist die so genannte Weiselprobe angezeigt: Ins Volk wird ein Wabenstück oder eine Wabe mit Eiern oder ganz jungen Larven aus einem andern Volk gehängt. Sind bei der Kontrolle nach 3 bis 4 Tagen Weiselnäpfchen vorhanden, ist das Volk bestimmt weisellos. Zieht es aber keine Jungköniginnen nach, so könnte eine unbegattete Jungkönigin oder eine legeunfähige Altkönigin im Volk sein.

**Zustand der Königin, die ersetzt wird**

- Eine Königin in voller Legetätigkeit hat eine starke Pheromonproduktion. Die zugesetzte Jungkönigin, die weniger Pheromone produziert, läuft Gefahr, abgestochen zu werden.
- Die Pheromonproduktion und Legetätigkeit ist bei zwei- bis dreijährigen Königinnen besonders ausgeprägt. Deshalb ist das Umweiseln solcher Völker schwieriger.
- Die Pheromonproduktion und Legetätigkeit unterliegt jahreszeitlichen Schwankungen. Im Frühjahr und Herbst ist die Pheromonproduktion und Legetätigkeit der Königinnen reduziert. Zu diesen Jahreszeiten ist das Umweiseln einfacher.

## Zustand der Jungkönigin, die zugesetzt wird

- Vollwertige, grosse Königinnen werden besser angenommen als minderwertige, schlecht entwickelte.
- Sehr junge Königinnen, die eben erst in Eilage gekommen sind, produzieren weniger Königinnensubstanz als später. Dies kann ein Grund sein, dass ganz junge Königinnen oft geringere Chancen haben, angenommen zu werden.
- Königinnen, die noch sehr jung sind oder deren Legetätigkeit wegen Platzmangel im Begattungsvölklein eingestellt wurde, bewegen sich sehr flink. Wenn sie den Zusetzkäfig verlassen und rasch herumlaufen, werden sie deshalb von den Bienen angegriffen, beschädigt oder sogar getötet.

## Umweltbedingungen

### Jahreszeit
Im Frühjahr und Herbst ist sowohl die Pheromonproduktion als auch die Volksstärke geringer als im Sommer. In den Monaten März, April und eventuell Mai sowie September und Oktober kann deshalb eine Jungkönigin leichter zugesetzt werden. Je nach gewählter Zusetzmethode variiert der günstige Zeitpunkt.

### Witterung
Bei Flugwetter sind die älteren Bienen tagsüber ausserhalb des Stockes. Dies erleichtert das Umweiseln.

### Trachtverhältnisse
Bei guten Trachtverhältnissen sind die älteren Sammlerinnen beschäftigt, was ein erfolgreiches Umweiseln begünstigt.

### Räuberei, Völkerdichte
Wenn viele Völker dicht zusammengestellt sind oder auf dem Stand leichte Räuberei herrscht, sind die Bienen gereizt. Dies ist eine schlechte Voraussetzung für eine erfolgreiche Annahme von Königinnen.

Tab. 4

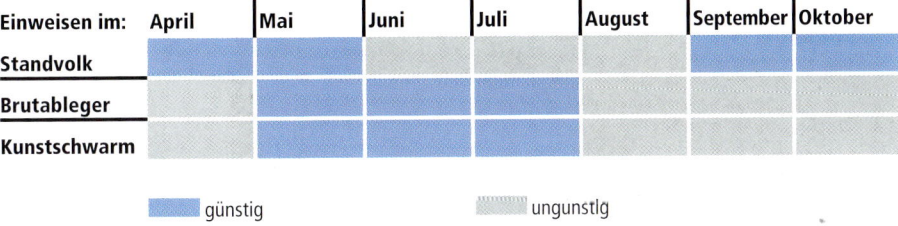

# 4 Königinnen verwerten

## 4.4 Zusetzgeräte

Geschützt durch das Zusetzgerät tritt die Königin in ersten Kontakt mit den Bienen des Empfängervolkes.
Im Handel sind verschiedene Zusetzgeräte erhältlich. Sie können auch selbst hergestellt werden.

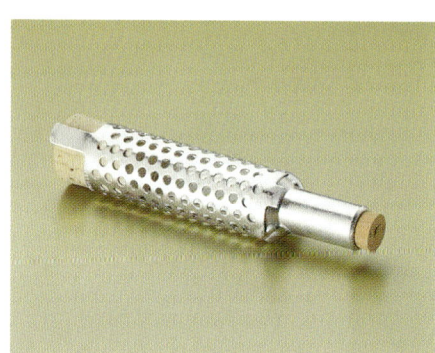

**Zusetzer**
Abb. 47
Ganz links: Nicot-Zusetzkäfig. Das kleine, untere Abteil wird mit Futterteig gefüllt. Im gelochten, oberen Abteil wird die Königin abgesperrt. Der Käfig wird an einem Draht zwischen zwei Brutwaben mit schlüpfender Brut eingehängt.
Dieser Käfig eignet sich auch als Versandkäfig. In diesem Fall werden der Königin ungefähr zehn Begleitbienen mitgegeben.

Links: Zusetzröhrchen mit Futterteigrohr

Versand- und Zusetzkäfig, der im Schweizerkasten anstelle eines Deckbrettchens auf die Brutwaben aufgelegt wird.

Abb. 48
Der Baurahmen- oder Wohlgemuth'sche Zusetzkäfig wird zwischen zwei Waben mit Brut eingehängt. Im Leerraum neben dem Zusetzer ketten sich gerne junge Baubienen auf. Diese empfangen eine fremde Jungkönigin freundlicher als alte Flugbienen.

Abb. 49
**Selbst gebaute Zusetzer**
Links: Zander-Zusetzer. Mitte: Lockenwickler. Rechts: Wachshülse, aus einem Stück Mittelwandwachs geformt. Unten: Futterteigkugeln zum Verschliessen der Zusetzer.
Zum Bau von Zusetzgeräten wird ein Drahtgeflecht mit einer Maschenweite von 2–2,5 mm empfohlen. Streckgitter sind ungeeignet, weil sich die Königinnen mit ihren Beinen in den Maschen verfangen können.

**Aufsteckgitter**
Abb. 50
Im Handel wird ein Aufsteckgitter aus Kunststoff angeboten.

Abb. 51
Aus Drahtgeflecht wird ein Gitterdeckel gebogen: Seitenlänge 10 cm, Höhe der Ränder 2 cm. Der Käfig mit der Königin darunter wird auf eine Wabe mit schlüpfender Brut gesteckt. Die schlüpfenden Bienen bilden den idealen Hofstaat für die zugesetzte Königin, und die leeren Zellen bieten Platz zur Eiablage. Nach vier bis sieben Tagen wird der Käfig entfernt und die Königin freigelassen.

**Ausfresskanal**
Die meisten Zusetzkäfige haben einen Ausfresskanal. Durch ihn dringen die Bienen allmählich zur Königin vor. Der Kanal hat einen Durchmesser von 8–12 mm und eine Länge von 25–35 mm. Einige Zusetzer werden mit einem kurzen und einem langen Kanal versehen. Beim kurzen Kanal ist innen ein Stück Königinnenabsperrgitter angebracht. Beim Zusetzen werden beide Kanäle mit Futterteig verschlossen. Der kurze Kanal ist schneller freigefressen, und die Bienen gelangen durch das Absperrgitter zur Königin. Erst wenn auch der längere Kanal frei ist, kann die Königin ihren Käfig verlassen.
Die Königin wird stets ohne Begleitbienen in den Zusetzer gesperrt.

Königinnen verwerten

## 4.5 Standvölker umweiseln

**Zusetzen im Momentverfahren**
Am Vormittag wird die alte Königin abgefangen und im Brutnest zwischen auslaufender Brut für den Zusetzer Platz geschaffen. Am Abend des gleichen Tages wird der Zusetzer mit der neuen Königin eingefügt. Es soll dabei nur wenig Rauch oder Wasser verwendet werden.
Für dieses Verfahren eignen sich Baurahmenzusetzer und Aufsteckgitter. Ein Vorteil dieser Methode ist der kurze Unterbruch der Legetätigkeit. Ihr Nachteil ist die etwas geringere Annahmerate. Deshalb soll sie nur bei guten Bedingungen angewendet werden (→ S. 43).

**Zusetzen im neun Tage weisellosen Volk**
Neun Tage nach dem Entfernen der alten Königin werden alle angesetzten Weiselzellen im Volk ausgebrochen. Der Zusetzer mit Jungkönigin und Futterteig wird zwischen zwei Waben mit Brut gehängt.
Sind die Bedingungen zum Zusetzen gut, so lassen wir die Königin durchs Flugloch oder beim Verschlusskeil einlaufen. Vorher soll sie jedoch 15 bis 20 Minuten hungern, damit sie ruhig ist und nach Futter bettelt.
In ein neun Tage weiselloses Volk kann auch ein Begattungsvölklein mit Königin eingesetzt werden.

**Einlaufverfahren (Hinterbehandlungskasten)**
Das Volk wird in den Wabenknecht gehängt. Königin und eventuelle Weiselzellen werden dabei entfernt und die Bienen mit Thymianwasser besprüht. Die Kastentüre wird geschlossen. Die Bienen saugen sich während einer Viertelstunde mit Futter voll. Damit die Königin den Stockgeruch annimmt, legen wir sie, eingesperrt in einen Drahtzusetzer oder Lockenwickler, auf die Waben im Wabenknecht.
Nun wird die Kastentüre wieder geöffnet. Die heimgekehrten Bienen fliegen suchend ins Freie, und das Kasteninnere wird ebenfalls mit Thymianwasser besprüht. Der Zusetzer mit der neuen Königin wird in den Einlauftrichter oder auf den Kastenboden gelegt. Zwei Drittel der Waben werden über die gekäfigte Königin in den Einlauftrichter abgewischt. Nun wird die Königin befreit. Sie zieht zusammen mit den sterzelnden Bienen nach vorne. Die restlichen Waben werden rasch eingehängt, und das Volk wird wieder geschlossen.

**Zusetzen im brutlosen Volk**
Das Umweiseln von brutlosen Völkern ist schwierig. Das brutlose Volk wird beiseite gestellt. An seinen Platz kommt ein Kasten mit ausgebauten Leerwaben. Der Zusetzer mit der Königin wird mit Futterteig verschlossen und zwischen die Leerwaben gehängt. In einiger Entfernung werden die Bienen des weisellosen Volkes abgewischt. Sie fliegen zum alten Platz zurück und ziehen in die neue Beute ein.

**Zusetzen eines Kleinvolkes**
Die Königin kann auch zusammen mit einem Kleinvolk (Begattungsvölklein oder Reservevolk) zugesetzt werden. Je grösser das zugesetzte Volk ist, desto geringer ist das Risiko eines Königinnenverlusts. Kleinvölker können direkt mit einem starken, weisellosen Volk vereinigt werden. Sicherer ist aber die Vereinigung des Kleinvolkes mit einem seit neun Tagen weisellosen Volk. Völker können beim Umweiseln in Aufregung geraten. Deshalb ist auf eine gute Luft- und Wasserversorgung zu achten.
**Vereinigung mit einem Gitter.** Zwischen Kleinvolk und weisellosem Volk wird ein Gitter angebracht. Bis sich die Bienen durch die mit Futterteig verschlossenen Öffnungen gefressen haben, vermischt sich der Stockgeruch beider Völker. Das weisellose Volk nimmt die Königin normalerweise gut auf.

**Vereinigung mit einer Zeitung.** Zwischen die beiden Völker, die zusammengeführt werden, legt die Imkerin zwei Lagen Zeitungspapier, schneidet 2–3 cm lange Schlitze hinein und bestreicht das Papier mit Honig. Während die Bienen den Honig aufnehmen und die Zeitung zernagen, vermischen sich die beiden Volksteile allmählich.

**Erste Kontrolle**
Die erste, möglichst kurze Kontrolle wird frühestens zehn Tage nach dem Umweiseln vorgenommen. Dabei wird der Zusetzer entfernt und überprüft, ob die Königin Eier legt. Bis drei Wochen nach dem Zusetzen kann das Volk in Aufregung geraten, die Königin einknäueln und abstechen. Deshalb muss die Kontrolle behutsam durchgeführt werden.

Abb. 52
**Begattungsvolk zusetzen**
Die Jungkönigin wird mitsamt ihrem Begattungsvolk auf die Brutwaben des entweiselten Standvolkes aufgesetzt. Vorgängig wird der Boden des Begattungskästchens durch zwei Lagen Zeitungspapier ersetzt. Mit einem feinen Messer werden kurze Schlitze ins Papier geschnitten.

## 4.6 Einweiseln im Brutableger und Kunstschwarm

Weisellose Brutableger und Kunstschwärme nehmen normalerweise junge begattete Königinnen gut an. Es ist vorteilhaft, wenn beim Bilden des Ablegers oder Kunstschwarmes viele ältere Bienen abfliegen, da die verbleibenden Jungbienen die Königin bestimmt gut annehmen.

Um Räuberei zu vermeiden, sollen die Jungvölker auf einem separaten Jungvolkstand ausserhalb des Flugbereiches der anderen Völker aufgestellt werden. Das Zusetzen im Kunstschwarm empfiehlt sich besonders bei wertvollen Königinnen (→ Band „Imkerhandwerk", S. 50 f.).

## 4.7 Vorprüfung

Viele Imkerinnen und Imker überwintern ihre Jungköniginnen in Reservevölkern. Diese Kleinvölker umfassen vier bis sieben Brutwaben. Im Kleinvolk lässt sich überprüfen, ob die junge Königin ein geschlossenes Brutnest anlegt und ob ihre Nachkommen rassetypisch, wabenstet und sanftmütig sind. Diese Prüfung ermöglicht eine erste Selektion.

## 4.8 Verwertung der Begattungsvölklein

Nachdem die Königin aus dem Begattungsvölklein entnommen wurde, kann dieses vor der Flugfront abgewischt werden. Die alten Bienen betteln sich bei den Standvölkern ein. Wenn bereits Brut geschlüpft ist, bleiben aber viele Jungbienen am Boden liegen. Dies kann vermieden werden, wenn aus ungefähr 20 Begattungsvölkchen ein Kunstschwarm gebildet wird. Eine der begatteten Königinnen wird gekäfigt in eine Schwarmkiste gehängt. Zuerst werden die Bienen des Kästchens der Königin dazugewischt und dann alle anderen. Der Kunstschwarm wird flüssig gefüttert und kommt zwei bis drei Tage in Kellerarrest. Solche Kunstschwärme sollen viele Jungbienen enthalten und dürfen nicht zu spät im Jahr gebildet werden.

Abb. 53
**Brut aus Begattungsvölkchen verwerten**
Nach dem Abwischen der Bienen werden die kleinen Brutwaben in speziell konstruierte Leerrahmen eingehängt und zum Schlupf in ein Volk gegeben.

# 5 Vererbungslehre

Ruedi Ritter

Eltern und Nachkommen können sehr ähnlich oder sehr unterschiedlich sein. Für die Honigbiene gelten dieselben Vererbungsregeln wie für alle andern Lebewesen. Allerdings weisen die Bienen einige interessante Besonderheiten auf: Die Bienenköniginnen zum Beispiel paaren sich mit mehreren Drohnen. Diese wiederum tragen nur die Hälfte des Erbgutes. Ausserdem wird das Geschlecht auf spezielle Weise genetisch festgelegt, und die Verwandtschaftsverhältnisse im Bienenvolk sind komplex.

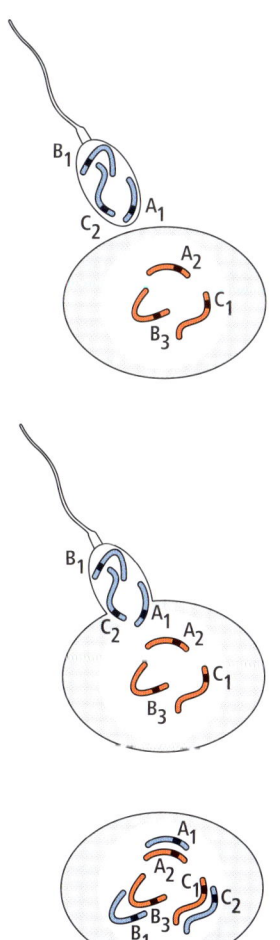

Abb. 54
**Neukombination bei der Befruchtung**
Bei der Befruchtung im Geschlechtsapparat der Königin ist eine Vielzahl von Neukombinationen des elterlichen Erbguts möglich. Schon in der unbefruchteten Eizelle sind die Allele von Mutter und Vater der Königin zufällig verteilt. Eine Königin wird von 8 bis 12 Drohnen begattet. Entsprechend können später 8 bis 12 genetisch unterschiedliche Samenzellen die Eizellen befruchten.

## 5.1 Biologische Grundlagen

**Labor der Natur: die Zelle**

Der lebende Grundbaustein aller Pflanzen und Tiere ist die Zelle. In ihr laufen alle Lebensvorgänge ab. Beispiele dazu sind:
- Zellen der Bienenlarve produzieren „Zellsubstanz", werden grösser und teilen sich. Dadurch wächst aus dem Ei eine Biene heran.
- In den äusseren Zellschichten der Biene wird der Farbstoff Melanin hergestellt. Dieser verleiht den Bienen ihre Farbe.
- Zellen der Oberkieferdrüse der Königin bilden Pheromone. Diese Botenstoffe steuern verschiedene Tätigkeiten der Arbeiterinnen.
- Zellen in Futtersaft- und Speicheldrüsen erzeugen Sekrete, die Zuckerarten des Nektars umwandeln.

Für all diese Prozesse braucht es eine Anleitung. Die Zelle muss „wissen", wann was wie erzeugt werden soll. Diese Informationen sind auf den Chromosomen im Zellkern der Körperzellen gespeichert.

**Biologische Datenspeicher: die Chromosomen**

Durch Färbung kann man die Chromosomen sichtbar machen. Aussehen und Anzahl der Chromosomen sind für jede Tierart charakteristisch. Bei den Bienen enthalten die Zellkerne von Königinnen und Arbeiterinnen 2 x 16 und jene von Drohnen nur 1 x 16 Chromosomen.

Einzelne Abschnitte der Chromosomen lenken Produktionsprozesse für Bau- oder Steuersubstanzen. Diese Abschnitte nennt man Gene.

Ein Gen beeinflusst eine oder mehrere Eigenschaften eines Lebewesens. Eine Eigenschaft wiederum wird oft von mehreren Genen gesteuert.

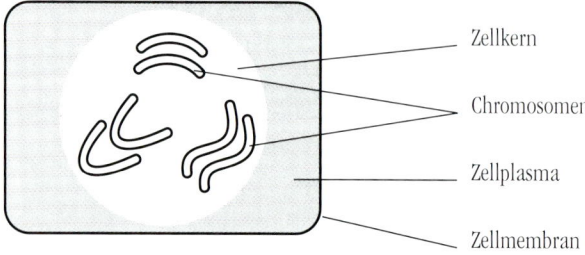

Abb. 55

**Aufbau der Zelle**

Die Chromosomen im Zellkern tragen die Erbinformationen und liefern die Baupläne. Die Produktionsstätten liegen im Zellplasma. Hier werden alle Substanzen hergestellt, welche die Zellen zum Leben und Wachsen brauchen.

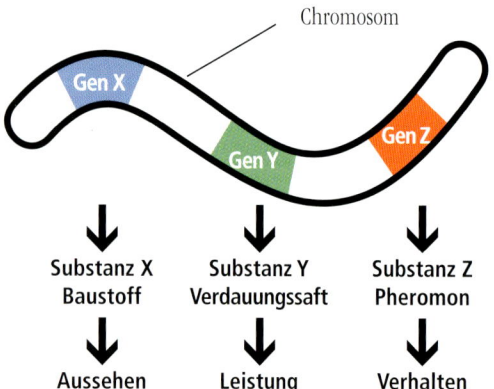

Abb. 56

**Gen auf Chromosom**

Auf den Chromosomen sind verschiedene Gene aneinander gereiht. Jedes Gen enthält den Bauplan zur Produktion einer Substanz. Im Stoffwechsel lenken diese Substanzen Auf-, Ab- und Umbauprozesse und beeinflussen Aussehen, Leistungsfähigkeit und Verhalten der Bienen.

# Vererbungslehre

## Faszinierender Aufbau der Chromosomen

Chromosomen bestehen aus dem chemischen Stoff Desoxyribonukleinsäure (DNS, engl. DNA). Die Abkürzung DNS wird oft verwendet, wenn von Erbgut gesprochen wird. Der gut erforschte chemische Aufbau der Chromosomen gleicht einer Strickleiter. Diese Strickleiter wird durch vier verschiedene Bausteine gebildet, von denen je zwei zusammenpassen.

## Doppelte Erbinformation bei Arbeiterin und Königin

Königin und Arbeiterin entstehen aus einem befruchteten Ei. Bei der Befruchtung dringt die Samenzelle in die Eizelle ein. Im Zellkern der befruchteten Eizelle treffen sich entsprechende Chromosomen mütterlicher und väterlicher Herkunft. Somit verfügen Königin und Arbeiterin über einen doppelten oder diploiden Chromosomensatz, in dem jede Erbinformation zweifach vorliegt.

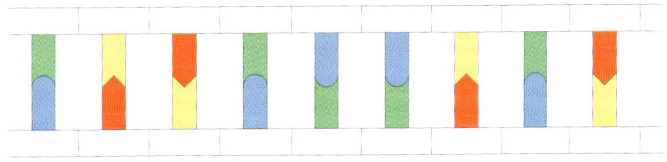

Abb. 57

**Schematische Darstellung eines Chromosoms**

Zum gelben Baustein passt nur der rote und zum blauen nur der grüne. Die Reihenfolge der vier Bausteine liefert die Information zur Produktion einer Substanz.

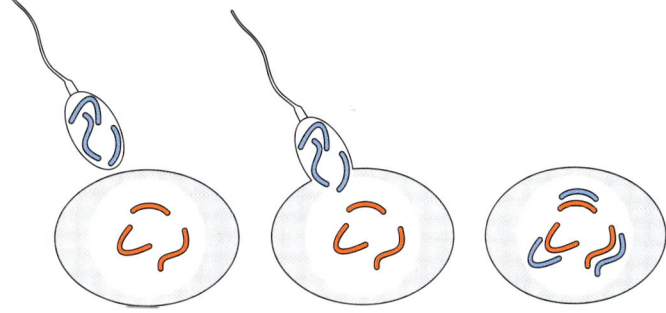

Abb. 58

**Befruchtung**

Samenzelle und unbefruchtetes Ei liefern je einen Chromosomensatz. Der blaue stammt vom Vater (Drohne), der rote von der Mutter (Königin). Zur Vereinfachung werden in allen Abbildungen nur 3 der insgesamt 16 Chromosomenpaare einer Biene dargestellt.

# Vererbungslehre

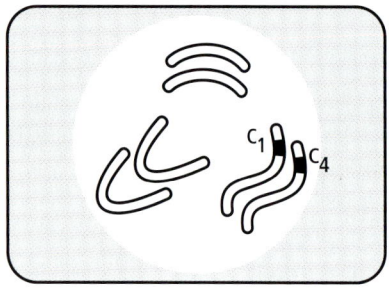

Abb. 59
**Allele**
Am selben Genort oder Locus können verschiedene Gene, so genannte Allele auftreten. Die Abbildung zeigt als Beispiel den Genort C mit den Allelen $C_1$ und $C_4$.

Ein bestimmter Abschnitt eines Chromosoms wird als Genort oder Locus bezeichnet. Das Gen auf einem Locus steuert immer denselben Stoffwechselprozess und beeinflusst damit stets dieselbe Eigenschaft des Lebewesens. Unterschiedliche Gene, die am gleichen Genort vorkommen, nennt man Allele.

## Zellteilung und Zellspezialisierung

Wie alle mehrzelligen Organismen wächst auch eine Biene durch Vermehrung ihrer Zellen. Nach der Befruchtung wechseln Phasen des Zellwachstums und der Zellteilung ab. So entwickelt sich aus dem Ei ein vollständiges Lebewesen. Diese Prozesse werden durch das Erbgut gesteuert. Jede Zelle muss deshalb über die nötigen Erbinformationen verfügen. Dank ihrer speziellen Struktur lassen sich die Chromosomen vor der Zellteilung exakt kopieren.

Nach der Verdoppelung des Erbgutes der Mutterzelle wird dieses gleichmässig auf die beiden Tochterzellen verteilt. Nach der Zellteilung haben beide neu gebildeten Zellen dasselbe komplette Erbgut. In spezialisierten Zellen sind die nicht benötigten Gene „ausgeschaltet".

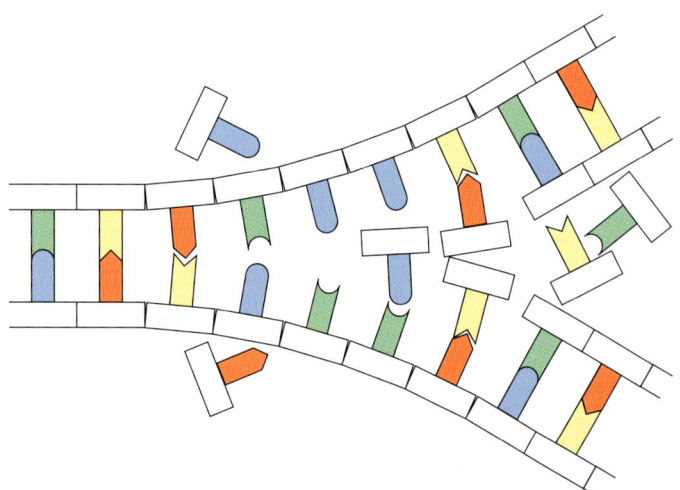

Abb. 60
**Verdoppelung der Chromosomen**
Bevor sich die Chromosomen verdoppeln, teilen sie sich der Länge nach in zwei Stränge. Freie Chromosomenbausteine ergänzen das aufgespaltene Chromosom zu zwei neuen, vollständig gleichen Chromosomen.

# Vererbungslehre

Zellteilung bei Königin und Arbeiterin       Zellteilung bei Drohne

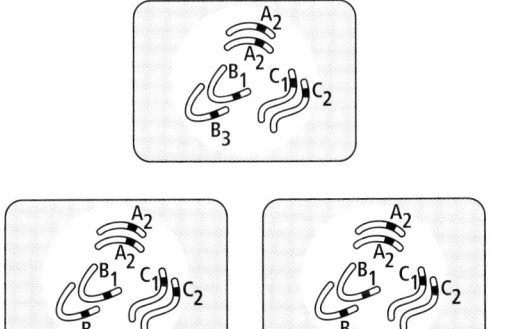   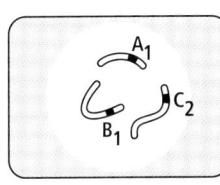

Mutterzellen

   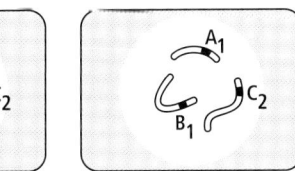

Tochterzellen

Abb. 61
**Zellteilung**
Bevor sich die Zelle teilt, verdoppeln sich die Chromosomen, und den neuen Zellen kommt je ein kompletter Chromosomensatz zu. Deshalb weisen alle Zellen eines Lebewesens dieselben Allele und damit dieselbe Erbinformation auf. Wenn die Mutterzelle die Allele $C_1$ und $C_2$ trägt, so sind auch in den beiden Tochterzellen die Allele $C_1$ und $C_2$ vorhanden. Diese Regel gilt für die Zellteilung bei Königin, Arbeiterin und Drohne.

## Sonderfall Reifeteilung

Bei der Reifeteilung in den Eierstöcken der Bienenkönigin wird die Chromosomenzahl halbiert. Es entstehen Eizellen mit einfachem oder so genanntem haploidem Chromosomensatz. In ihnen sind die Gene von Vater und Mutter der Königin zufällig verteilt. Deshalb besitzen alle Eizellen unterschiedliches Erbgut. Zusätzlich zur Eizelle enthält das Bienen-Ei Nahrung für den Embryo bis zum Schlupf der Larve.

Abb. 62
**Bildung der Eizellen**
In den Eierstöcken der Königin bilden sich Eizellen. Die Chromosomen und damit auch die Allele ihrer Eltern werden zufällig auf die Eizellen verteilt. Eine Königin mit den Allelen $B_1$ und $B_3$ bildet sowohl Eizellen mit dem Allel $B_1$ als auch solche mit dem Allel $B_3$. Dasselbe gilt für alle Genorte.

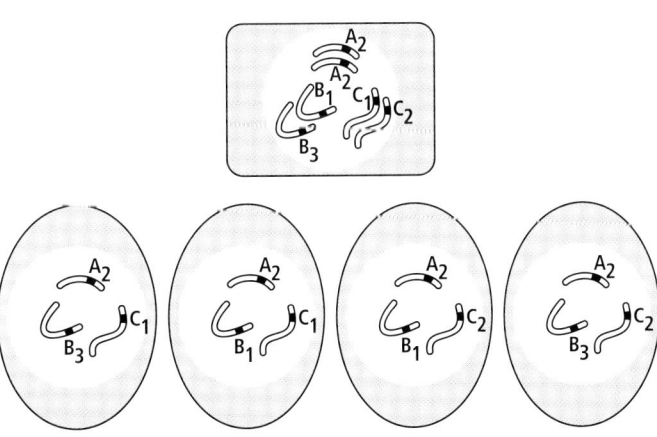

Vererbungslehre

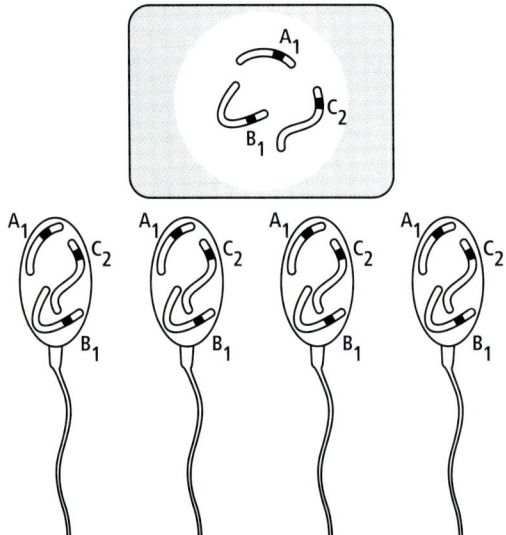

Abb. 63
**Bildung der Samenzellen**
Samen- und Körperzellen der Drohnen tragen dasselbe Erbgut und somit dieselben Allele.

Die Körperzellen der Drohnen sind haploid. Bei der Bildung der Samenzellen in den Hoden der Drohnen ist deshalb keine Halbierung der Chromosomenzahl nötig. Samen- und Körperzellen der Drohne besitzen alle genau dasselbe Erbgut. Dieses entspricht dem Erbgut der unbefruchteten Eizelle, aus der die Drohne hervorgegangen ist.

### Neukombination von Erbeigenschaften: die Befruchtung

Arbeiterinnen und Königinnen entstehen aus befruchteten Eiern. Bevor die Königin ein solches legt, wandert eine Samenzelle aus der Samenblase und bohrt sich in die Eizelle ein. Beide Zellkerne verschmelzen, und aus der befruchteten Eizelle bilden sich sämtliche Körperzellen der Arbeiterin oder Königin.
Die Erbinformation von Vater und Mutter der Königin wird in der unbefruchteten Eizelle beliebig kombiniert. Samenzellen verschiedener Drohnen befruchten wiederum die Eizellen. So entstehen von einer Königin Nachkommen mit unterschiedlichem Erbgut. Das bedeutet, dass sich Tochterköniginnen derselben Mutter im Erbgut stark unterscheiden können (→ Abb. 54, S. 49).

### Der genetische Vater

Die Königin entsteht aus einem befruchteten Ei. Die eine Hälfte ihres Erbgutes stammt von der mütterlichen Eizelle, die andere von der Drohne. Drohnen entwickeln sich aus unbefruchteten Eizellen und geben ihr Erbgut ohne Neukombination über die Samenzellen weiter. Das Erbgut der Königin ist also letztlich eine Neukombination der Gene ihrer Mutter und ihrer Grossmutter väterlicherseits. Im Vergleich zu anderen Nutztieren entspricht die Mutter der Drohne dem genetischen Vater. Die Drohne repräsentiert fliegende Geschlechtszellen ihrer Mutter.

**Vererbungslehre**

Abb. 64
**Die Drohne überbringt und vermehrt Erbgut**
Die eine Hälfte des Erbgutes der Königin (K) stammt von ihrer Mutter ($M_K$), die andere vom Vater (V). Samen- und Körperzellen einer Drohne tragen dasselbe Erbgut. Sie sind erbgleich zur Eizelle, aus der die Drohne entstand. Diese Eizelle stammt von der Mutter der Drohne ($M_V$). Die Erbsubstanz der Königin ist also eine Kombination der Eizelle der Mutter ($M_K$) und der Eizelle der Mutter des Vaters ($M_V$).

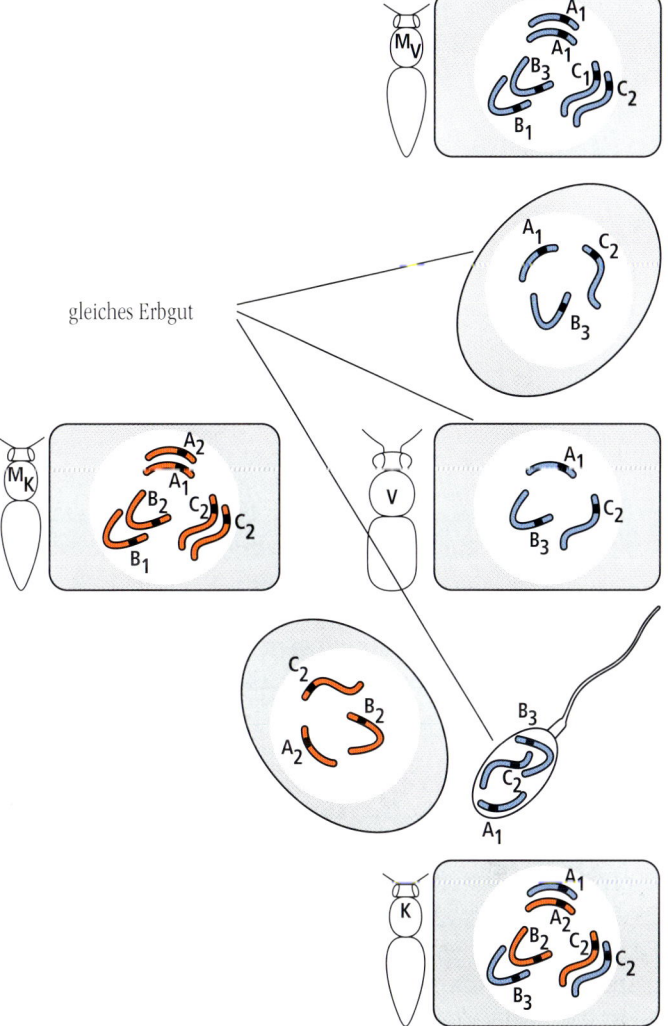

## 5.2 Erbfehler

### Mutationen: Chancen oder Katastrophen

Radioaktive Strahlung, hohe Temperaturen, gewisse chemische Substanzen oder Viren können das Erbgut verändern. Solche Veränderungen des Erbguts nennt man Mutationen. Sie können in der Natur spontan auftreten. Vom mutierten Gen wird eine abgewandelte Bau- oder Steuersubstanz abgelesen.

Mutationen können unterschiedliche Auswirkungen haben.

– Keine Auswirkungen: Bei einer Steuersubstanz wird derjenige Teil verändert, der auf den Steuerprozess keinen Einfluss ausübt, oder ein Baustoff wird nur so abgewandelt, dass er seine Aufgabe weiterhin erfüllen kann.
– Veränderung der Überlebenschancen: Eine veränderte Steuersubstanz kann ihre Funktion anders, besser oder schlechter ausüben, oder eine Bausubstanz weist andere Eigenschaften auf, wie zum Beispiel eine andere Farbe oder

Konsistenz. Das Lebewesen mit dieser Mutation zieht daraus Vor- oder Nachteile im Überlebenskampf. Man vermutet, dass so im Laufe der Zeit die verschiedenen Allele eines Genorts entstehen.
– Zerstörung eines Gens: Der Aufbau einer Bau- oder Steuersubstanz kann nicht mehr abgelesen werden. Durch solche Mutationen entstehen Erbfehlerallele.

Nur Mutationen, die über Ei- oder Samenzellen an Nachkommen weitergegeben werden, haben Auswirkungen auf folgende Generationen.

**Erbfehler**

Fehlerhafte Erbinformation kann das Erscheinungsbild eines Organismus verändern. Ein normales Bienenauge zum Beispiel ist dunkel. Dessen Farbstoff wird in einer Reihe von Schritten gebildet. Die Zellen der Augen liefern die entsprechenden Bau- und Steuersubstanzen dazu. Fehlt im Erbgut die Information zur Bildung einer dieser Substanzen, kann die Augenfarbe nicht produziert werden.

Bei Arbeiterin und Königin liegen alle Gene doppelt vor. Ist das eine Gen defekt, kann die Information beim intakten abgelesen werden. Die Mutation wird nur sichtbar, wenn zwei fehlerhafte Gene zusammentreffen. Arbeiterinnen und Königinnen weisen deshalb selten Erbfehler auf.

Drohnen entstehen aus unbefruchteten Eiern und besitzen deshalb einen einfachen Chromosomensatz. Eine Drohne mit einem Erbfehler ist oft nicht lebensfähig oder bei der Begattung stark benachteiligt. So wird das defekte Gen nicht an die folgende Generation weitergegeben. Durch den einfachen Chromosomensatz der Drohnen werden viele Erbfehler ausgeschieden.

## 5.3 Verwandtschaftsverhältnisse im Bienenvolk

Die Königin ist die Mutter aller Tiere im Volk. Die Samenzellen der Väter werden nach der Begattung in der Samenblase der Königin gespeichert. Die Königin verwaltet gleichzeitig das mütterliche und das väterliche Erbgut. Ihre Nachkommengeneration umfasst Drohnen, Arbeiterinnen und Jungköniginnen.

Da die Drohnen aus einem unbefruchteten Ei entstehen, tragen sie allein Erbgut ihrer Mutter in sich.

Arbeiterinnen und Jungköniginnen mit demselben Vater bilden eine Supergeschwistergruppe. Da alle Samenzellen einer Drohne exakt dasselbe Erbgut tragen, sind „Bienensupergeschwister" genetisch ähnlicher als Vollgeschwister anderer Nutztiere. Die Verwandtschaft von Supergeschwistern beträgt durchschnittlich 75 %, diejenige von Vollgeschwistern nur 50 %. Da die Königin durchschnittlich von 8 bis 12 Drohnen begattet wird, gibt es entsprechend viele Supergeschwistergruppen.

Bei natürlicher Paarung stammen die Drohnen in der Regel von verschiedenen Königinnen ab. Arbeiterinnen und Jungköniginnen verschiedener Supergeschwistergruppen haben verschiedene Väter und sind Halbgeschwister. Die Verwandtschaft von Halbgeschwistern beträgt durchschnittlich 25 %. Nur wenn mehrere Söhne derselben Mutter eine Königin begatten, entspricht die Verwandtschaft zwischen Supergeschwistergruppen derjenigen von Vollgeschwistern. Tochterköniginnen aus demselben Stoffvolk können Super-, Voll- oder Halbschwestern sein. Meist sind sie Halbgeschwister.

In vielen Gebieten werden verschiedene Bienenrassen nebeneinander gehalten. Bei Standbegattung kann sich deshalb das Erbgut der Halbgeschwister stark unterschei-

**Vererbungslehre**

den. Gemäss Untersuchungen sind Supergeschwistergruppen im Bienenvolk unterschiedlich stark vertreten. Einerseits können 20–30 % der Arbeiterinnen eines Volkes von einer Drohne abstammen, andererseits gibt es Supergeschwistergruppen, denen weniger als 3 % der Arbeiterinnen angehören. (17)

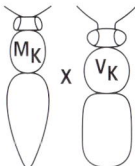

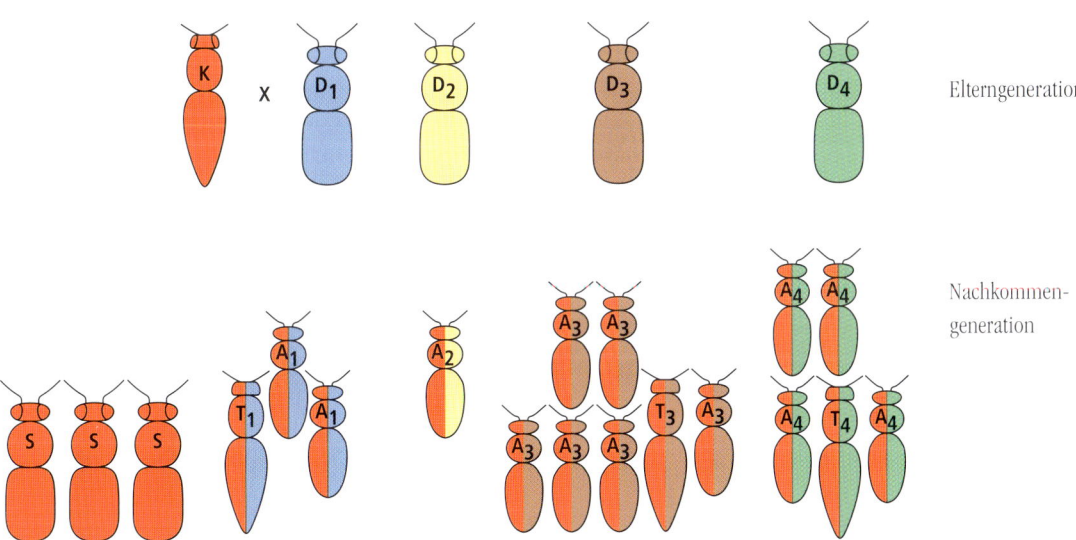

Elterngeneration

Nachkommengeneration

Abb. 65
**Verzwickte Verwandtschaftsverhältnisse**
Im Bienenvolk leben zwei Generationen. Die Königin (K) hat in ihren Zellen eine Erbgutkombination ihrer Mutter ($M_K$) und ihres Vaters ($V_K$). Mit der Eizelle gibt sie dieses Erbgut an Drohnen (S), Arbeiterinnen (A) und Tochterköniginnen (T) weiter. Die Drohnen entstehen aus einem unbefruchteten Ei und tragen deshalb nur das Erbgut ihrer Mutter. Arbeiterinnen und Jungköniginnen aber entstehen aus Eizellen, die von Samenzellen befruchtet werden. Die Samenzellen enthalten das Erbgut der Mütter der Drohnen. Diese „Grossmütter" sind aus genetischer Sicht die Väter der Arbeiterinnen und Jungköniginnen. Arbeiterinnen und Jungköniginnen, die denselben Vater haben, bilden eine Supergeschwistergruppe. In der Abbildung sind nur Vertreter von vier Supergeschwistergruppen dargestellt.

# 5 Vererbungslehre

**Mütterliche Dominanz**

Die Volkseigenschaften werden stark durch das mütterliche Erbgut geprägt. Dies hat zwei Gründe:

– Alle Arbeiterinnen und Tochterköniginnen eines Bienenvolkes haben die Hälfte ihres Erbgutes von derselben Königin. Die andere Hälfte steuert je eine der 8 bis 12 verschiedenen Drohnen bei. Im Volk neutralisieren sich häufig Stärken und Schwächen der verschiedenen Vatertiere.

– Nicht nur der Zellkern, sondern auch das Zellplasma enthält kleine Teile des Erbgutes. Die Samenzelle besteht fast ausschliesslich aus Zellkern und überträgt kein Plasma. Die Eizelle aber führt im Plasma zusätzlich mütterliche Erbsubstanz mit.

## 5.4 Vererbung des Geschlechts

Drohnen entstehen aus einer unbefruchteten Eizelle, Arbeiterinnen und Königinnen aus einer befruchteten. Das Geschlecht wird durch ein so genanntes Sexgen bestimmt. Von diesem Gen gibt es verschiedene Allele. Weist eine Eizelle zwei verschiedene Sexallele auf, entsteht daraus eine Arbeiterin oder Königin; ist nur ein Sexallel vorhanden, entwickelt sich aus dem Ei eine Drohne.

Ein unbefruchtetes Ei hat nur einen Chromosomensatz und folglich nur ein Allel. Es wird stets eine Drohne daraus entstehen. Wird das Ei befruchtet, sind in der Regel zwei verschiedene Sexallele vorhanden. Folglich geht daraus eine Arbeiterin oder eine Königin hervor.

Manchmal weist aber ein befruchtetes Ei zwei gleiche Sexallele auf. Dann sollte daraus eine Drohne mit doppeltem Chromosomensatz schlüpfen. Diploide Drohnenlarven werden aber von den Arbeiterinnen erkannt und entfernt. Da die Königin alle befruchteten Eier in Arbeiterinnenbrutzellen legt, treten dort beim Ausräumen der diploiden Drohnen-Eier Brutlücken auf. Meist werden die leer geräumten Zellen von der Königin nochmals bestiftet und vom Imker oft gar nicht bemerkt.

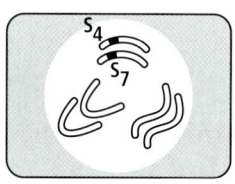
Königin oder Arbeiterin

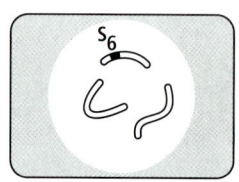
Drohne

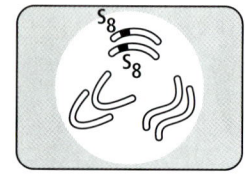
diploide Drohne

Abb. 66
**Geschlechtsbestimmung**
Königinnen und Arbeiterinnen haben am Genort der Geschlechtsbestimmung zwei verschiedene Allele; in unserem Beispiel $S_4$ und $S_7$. Aus Eiern mit zwei verschiedenen Sexallelen entwickeln sich Weibchen. Unbefruchtete Eier besitzen nur ein Sexallel, zum Beispiel $S_6$. Daraus entstehen Männchen bzw. Drohnen. Durch Zufall oder bei der Paarung verwandter Bienen können in befruchteten Eizellen zwei gleiche Sexallele zusammentreffen, im Beispiel $S_8$. Aus solchen Eiern würden sich diploide Drohnen entwickeln, doch die Bienen entfernen solche Larven.

# Vererbungslehre

Der Anteil diploider Drohnen-Eier ist abhängig von Zahl und Häufigkeit der verschiedenen Sexallele in Bienenvölkern, deren Geschlechtstiere sich untereinander paaren. Es gibt insgesamt 15 bis 20 Sexallele (6). Sind von allen gleich viel vorhanden, ist die Wahrscheinlichkeit für ein diploides Drohnen-Ei 1 : 15 bis 1 : 20. Damit wäre jedes 15. bis 20. befruchtete Ei ein diploides Drohnen-Ei. Da die Paarung zufällig erfolgt, treten diploide Drohnen-Eier bei verschiedenen Königinnen mehr oder weniger häufig auf. Bei der Paarung verwandter Bienen sind weniger Sexallele beteiligt. Damit vergrössert sich der Anteil diploider Drohnen-Eier.

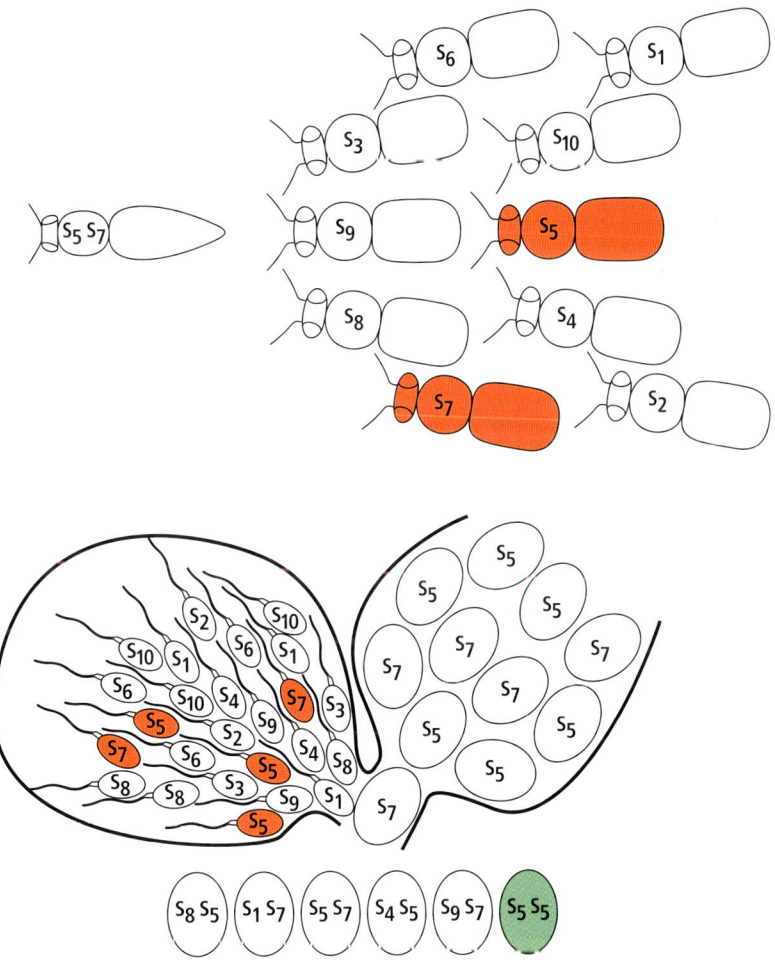

Abb. 67
**Sexallele auf dem Hochzeitsflug**
Es wird angenommen, dass im Erbgut einer geschlossenen Gruppe von Bienenvölkern zehn verschiedene Sexallele vorkommen. Theoretisch trägt jede fünfte Drohne (rot markiert) eines der beiden Sexallele der Königin. Nach der Begattung haben durchschnittlich 20 % der Samenzellen in der Samenblase dieselben Sexallele wie die begattete Königin. Jede Samenzelle aus der Samenblase trifft auf eines der Sexallele der Königin ($S_5$ oder $S_7$). Nur die Hälfte der im Bild rot markierten Samenzellen befruchtet eine Eizelle mit dem identischen Sexallel. Jedes zehnte befruchtete Ei ist folglich ein diploides Drohnen-Ei (grün markiert).

Wenn die Spermien der Samenblase nur die beiden Sexallele der Königin aufweisen, sind 50 % der befruchteten Eier diploide Drohnen-Eier. In Versuchen wurden Königinnen mit Sperma verwandter Drohnen besamt. Bei 25–50 % diploiden Drohnen-Eiern entstanden in Zeiten starker Bruttätigkeit so viele Brutlücken, dass die Brutzellen von der Königin nicht nochmals bestiftet werden konnten. Volksstärke und Honigertrag gingen dadurch deutlich zurück. (28)

Um den Anteil diploider Drohnen-Eier zu kontrollieren, gibt man zur Zeit hoher Legetätigkeit eine leere, schon bebrütete Wabe mitten ins Brutnest. Nach drei Tagen wird geprüft, ob sie vollständig bestiftet wurde. Mit einem Parallelogramm, das 10 x 10 Zellen umfasst, kann nach zwölf Tagen der Anteil unverdeckelter Brutzellen bestimmt werden. Mehrmaliges Zählen an verschiedenen Stellen verbessert das Resultat. (22)

Abb. 68
**Brutlücken**
Da die Bienen diploide Drohnenbrut ausräumen, entstehen lückenhafte Brutnester. Mit einer parallelogrammförmigen Schablone wird der Anteil diploider Drohnen-Eier bestimmt. Brutlücken können auf Inzucht hinweisen.

## 5.5 Regeln der Vererbung

### Definitionen
**Merkmal.** Ein Merkmal ist eine Eigenschaft des Tieres. Zum Beispiel: Honigertrag, Cubitalindex, Wabensitz, Schwarmtrieb, Frühjahrsentwicklung oder Gutartigkeit.
**Erbgut oder Genotyp.** Der Genotyp umfasst alle Gene, die ein oder mehrere Merkmale eines Tieres steuern.
**Erscheinungsbild oder Phänotyp.** Der Phänotyp ist die Gesamtheit von allem, was wir am Tier sehen, beurteilen, messen und wägen können. Zum Beispiel: Honigertrag 10 % über dem Durchschnitt, Cubitalindex 1,7, schlechter Wabensitz, geringer Schwarmtrieb, späte Entwicklung im Frühjahr, gutartig.

### Homozygot oder heterozygot?
In diploiden Zellen können an jedem Genort entweder zwei gleiche oder zwei verschiedene Allele vorkommen. Sind auf beiden Chromosomen gleiche Allele, so ist das Tier bezüglich diesem Genort gleicherbig oder homozygot. Treten zwei verschiedene Allele auf, so ist es an diesem Genort ungleicherbig oder heterozygot.
Da Drohnen nur einen Chromosomensatz haben, können sie nicht ungleicherbig sein.

## Vererbungslehre

Abb. 69
**Gleicherbig oder ungleicherbig?**
$D_1$ bezeichnet das Gen für die dunkle Augenfarbe, $D_2$ das für die weisse. Das Gen für einen dunkel gefärbten Panzer wird mit $G_1$ bezeichnet, das für gelbe Ecken oder Ringe mit $G_2$. Für das Merkmal „Augenfarbe" ist die abgebildete Zelle homozygot oder gleicherbig ($D_1D_1$), bezüglich dem Merkmal „Panzerfarbe" hingegen ungleicherbig oder heterozygot ($G_1G_2$).

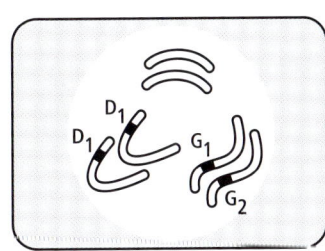

### Vererbung von Genen

Zur Vereinfachung betrachten wir nur einen Genort. Gleicherbige Königinnen bilden einen Eizelltyp, ungleicherbige aber zwei. Drohnen einer ungleicherbigen Königin erben entweder das eine oder das andere Allel ihrer Mutter. Das von der Mutter geerbte Allel geben die Drohnen mit jeder Samenzelle weiter.

Bienen und Jungköniginnen erben, neben dem väterlichen Allel, auch eines der beiden mütterlichen Allele. Die Häufigkeit der verschiedenen Kombinationen (Genotypen) $G_1G_1$, $G_1G_2$ und $G_2G_2$ hängt vom Anteil der Samenzellen der verschiedenen Vaterdrohnen ab.

Abb. 70
**Vererbung der mütterlichen und väterlichen Gene an Jungkönigin oder Arbeiterin**

Eine ungleicherbige Königin bildet Eizellen, die entweder das Allel $G_1$ oder $G_2$ enthalten. Die Eizelle verschmilzt mit einer Samenzelle. Je nachdem, welches Allel die Samenzelle liefert, weisen die Nachkommen unterschiedliche Erbgutkombinationen auf. Die Prozentzahlen veranschaulichen den Anteil der diversen Geschlechtszellen und die Wahrscheinlichkeit für bestimmte Erbgutkombinationen. Zur Vereinfachung werden nur drei Drohnen dargestellt.

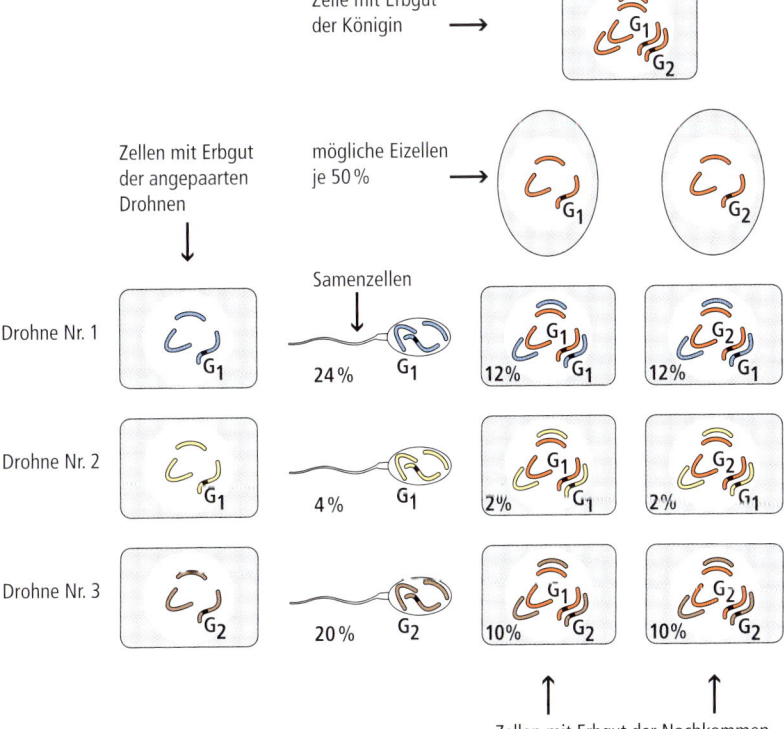

## Dominant/rezessiv

Gleicherbige Genorte bewirken ein den Allelen entsprechendes Erscheinungsbild. Wie aber sieht die ungleicherbige Biene aus, die zum Beispiel von ihrer Mutter das Allel für gelbe Ringe und vom Vater das Allel für dunkle Panzerfarbe erbt? Diese Biene weist gelbe Ringe auf, da das Allel für die gelbe Panzerfarbe dominant ist. In der Praxis ist es komplizierter, da mehrere Genorte die Panzerfarbe der Bienen bestimmen.

Beim dominant/rezessiven Erbgang kommt beim ungleicherbigen Tier einzig das dominante Allel zum Ausdruck. Das rezessive Allel wird vom dominanten unterdrückt bzw. überdeckt.

## Erbgänge

Zellen mit ungleicherbigen Genorten produzieren zwei verschiedene Bau- oder Steuersubstanzen. Diese können unterschiedlich auf-, mit- oder gegeneinander wirken. Bei den Bienen gibt es nur wenig gut erforschte Beispiele für die vier allgemein gut bekannten Erbgänge.

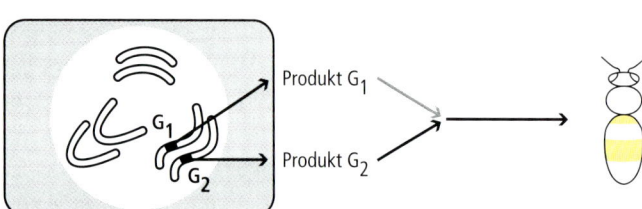

Abb. 71

**Gelbe oder dunkle Panzerfarbe?**

Das Gen für die dunkle Panzerfärbung ($G_1$) ist rezessiv, das für gelbe Ringe ($G_2$) dominant. Ungleicherbige Bienen tragen sowohl die Information für dunkle als auch für gelbe Panzerfärbung. Der Produktionsprozess verläuft zu Ungunsten der rezessiven dunklen Panzerfarbe, und es entsteht eine Biene mit gelben Ringen. Herrscht in einer Tiergruppe ein dominantes Allel vor, können rezessive Allele (z. B. dunkle Panzerfarbe) über Generationen unerkannt weitervererbt werden.

Tab. 5

| Gegenseitiger Einfluss der Allele | Erbgang | Beispiele |
|---|---|---|
| vollständiges Blockieren oder Überdecken | dominant/rezessiv | gelbe Ringe / dunkle Panzerfarbe<br>dunkle / weisse Augenfarbe<br>normal / viele Erbfehler |
| gegenseitiges Hemmen | intermediär | Fläche der gelben Panzerfarbe ist bei den ungleicherbigen Bienen kleiner als bei den gleicherbig gelben.<br>Filzbinden am Hinterleib ungleicherbiger Bienen sind schmäler als die Filzbinden der reinerbigen *Carnica*- und breiter als jene der reinerbigen *Mellifera*-Bienen. |
| kein Effekt | codominant | Alle im Erbgut programmierten Bluteiweissstoffe und Verdauungsenzyme können im Blut und in den Verdauungssäften nachgewiesen werden. |
| gegenseitige Ergänzung | überdominant | Ungleicherbige Bienen sind in der Regel stechlustiger als gleicherbige.<br>Ungleicherbige Bienen haben die bessere Sammelleistung als gleicherbige. |

**Vererbungslehre**

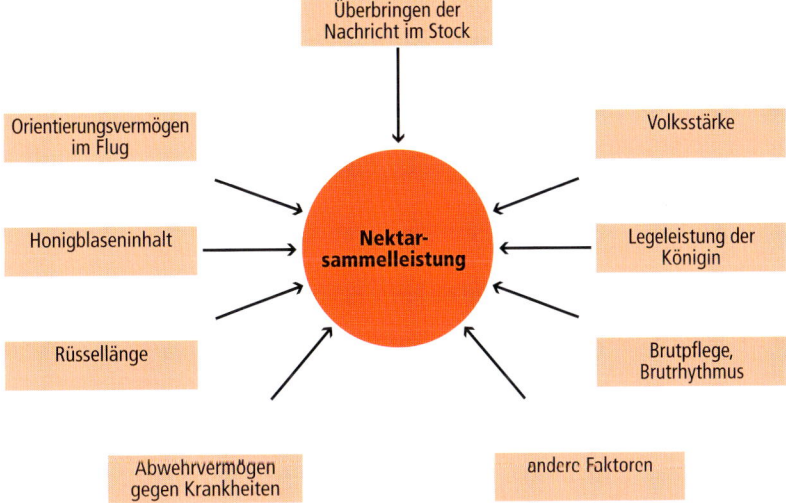

Abb. 72
**Sammelleistung – ein Puzzle vieler Eigenschaften des Volkes**

Es treten auch Mischformen der vier Erbgänge auf, und Gene verschiedener Genorte können sich gegenseitig beeinflussen. Ausserdem ist oft unklar, ob ein Merkmal von einem oder mehreren Genen abhängt. Die hier erwähnten Erbgänge sind wissenschaftlich nicht exakt belegt, sondern vielmehr Erklärungsversuche für Beobachtungen aus der Praxis.

Da Drohnen einen einfachen Chromosomensatz haben, kann bei ihnen das Erbgut direkt am Erscheinungsbild abgelesen werden.

### Mehrere Gene für ein Merkmal

Die meisten für den Imker wichtigen Eigenschaften der Bienen werden durch mehrere Gene gesteuert (z. B. Sammeltrieb, Sanftmut, Rüssellänge, Wabensitz, Krankheitsresistenz, Varroatoleranz, Winterhärte). Das Merkmal „Nektarsammelleistung" zum Beispiel setzt sich aus vielen im Erbgut verankerten Teileigenschaften zusammen.

### Unabhängige und abhängige Merkmale

Bereits der Mönch Gregor Mendel (1822–1884) beobachtete, dass sich verschiedene Merkmale bei Pflanzen beliebig kombinieren lassen. Verschiedene Allele werden nach dem Zufallsprinzip von einer Generation zur anderen weitergegeben. Sogar Gene desselben Chromosoms werden durch Austausch von Chromosomenstücken (Crossing Over) häufig voneinander getrennt. Verschiedene Gene vererben sich also vollkommen unabhängig. Deshalb lassen sich Eigenschaften wie Panzerfarbe, Cubitalindex, Winterfestigkeit und Honigsammelleistung fast beliebig kombinieren.

Das Stoffwechselprodukt eines Gens kann mehrere Funktionen ausüben. Somit beeinflusst das Gen gleichzeitig verschiedene Merkmale. Das bedeutet, dass die An- oder Abwesenheit eines Allels gleichzeitig mehrere Merkmale verändern kann.

Abb. 73
**Mehrfache Wirkung**
Das Gen K liefert die Information zur Bildung des Stoffwechselproduktes K. Dieses kann ein oder mehrere Merkmale beeinflussen.

Erbgut, das die Leistungsmerkmale für Arbeiterinnen positiv beeinflusst, wirkt auf die Eigenschaften der Königinnen negativ. (8) Dieser Zusammenhang kann durch Gene mit mehreren Wirkungen erklärt werden. So könnte zum Beispiel ein Allel die Blutversorgung der inneren Organe begünstigen und zugleich die Durchblutung der Flugmuskulatur drosseln. Ein solches Allel würde bei der Königin eine optimale Blutversorgung der Eierstöcke und eine gute Verwertung der Nahrung sicherstellen, gleichzeitig aber bei der Arbeiterin die Flugleistung verringern.

## 5.6 Vererbungslehre in der praktischen Bienenzucht

- Königinnen erhalten je die Hälfte ihres Erbgutes von Mutter und Vater (Drohne). Die genaue Herkunft der Drohne ist oft nicht bekannt.
- Zuchtstoff aus einem Volk kann genetisch ähnlich oder sehr unterschiedlich sein. Supergeschwister, die von derselben Drohne abstammen, sind einander ähnlich. Halbgeschwister mit verschiedenen Vätern können sich stark unterscheiden. Dies trifft besonders bei Standbegattungen zu oder wenn bei Belegstellenbegattung fremde Drohnen zur Paarung kommen.
- Königinnen einer Zuchtserie haben unterschiedliche Kombinationen von mütterlichen und väterlichen Genen. Es ist die Aufgabe des Züchters, immer wieder die Königinnen mit dem besten Erbgut für die Weiterzucht auszuwählen.
- Drohnen entstehen aus einem unbefruchteten Ei. Deshalb tragen sie kein väterliches Erbgut. Folglich haben Fehlpaarungen der Königin keinen Einfluss auf das Erbgut ihrer Drohnen.
- Der eigentliche genetische Vater der Königin ist die Mutter der Drohne.
- Lückenhafte Arbeiterinnenbrutnester können auf Inzuchtpaarungen hinweisen.
- Unterschiedliche Allele können sich gegenseitig unterdrücken, hemmen, nicht beeinflussen oder ergänzen. Eigenschaften können über Generationen unbemerkt weitervererbt werden. Durch das Zusammenwirken gewisser Allele können sich Merkmale verstärken.
- Die verschiedenen Eigenschaften der Biene sind in der Regel beliebig kombinierbar. Sie vererben sich unabhängig voneinander. Beeinflusst ein Gen mehrere Merkmale, so verändern sich diese miteinander.
- Die für den Bienenzüchter wichtigen Merkmale werden von vielen verschiedenen Genen beeinflusst.

# 6 Züchtungslehre

Ruedi Ritter

Seit Jahrmillionen hat die Natur widerstandsfähige Bienenvölker ausgelesen. Imkerinnen und Imker möchten vitale, sanftmütige und leistungsstarke Völker. Diesem Zuchtziel werden sie sich nur in vielen kleinen Schritten annähern können. Unterwegs werden neue Herausforderungen auftauchen, wie beispielsweise die Selektion auf Varroatoleranz.

Abb. 74
**Zuchtkarte**
Die Zuchtkarte ist das Zeugnis der Zuchtkönigin und ihres Volkes. Es werden die Noten von 1 bis 4 gesetzt. Die Beschränkung auf wenige wichtige Merkmale erleichtert die Beurteilung, die möglichst oft durchgeführt wird (→ S. 74).

# 6 Züchtungslehre

## 6.1 Standort, Pflege und Erbgut beeinflussen die Leistung

Die Leistung des Bienenvolkes setzt sich aus vielen Einzelleistungen zusammen, die von der Königin, der Mutter im Volk, und ihren Töchtern, den Arbeiterinnen, erbracht werden. Das Erbgut zweier Generationen beeinflusst also Entwicklung und Ertrag eines Volkes. (25)

Doch bei weitem nicht nur das Erbgut, sondern zahlreiche, nicht erbliche Faktoren wirken auf das Bienenvolk ein, wie zum Beispiel Klima, Tracht und Pflegemassnahmen. Der Einfluss der Umwelt auf Verhalten und Leistung ist deshalb so gross, weil Bienen fast wie Wildtiere leben.

### Unterschiedliche Einflüsse trotz gleichem Standort

Bienenvölker am gleichen Standort und mit gleichem Betreuer können sehr unterschiedlichen Umwelteinflüssen ausgesetzt sein. Beispiele dazu:

– Neben dem Spürsinn der Bienen kann auch der Zufall entscheidend sein, ob ein Volk eine Futterquelle schnell findet oder nicht.
– Standorte weisen kleinräumige Unterschiede auf, so dass sie für die Völker mehr oder weniger geeignet sind.

Erbgut Arbeiterin

Erbgut Königin

Abb. 75
**Honigleistung**
Sie ist ein komplexes Zusammenspiel von Erbgut und Umwelt.

Trachtverhältnisse

Honigertrag

Standort

Krankheiten

Aufzucht Königin

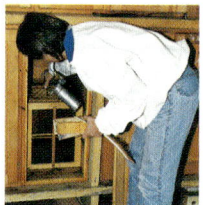
Pflege

- Durch stille Räuberei wachsen die Vorräte im raubenden Volk an, im beraubten schwinden sie.
- Durch Räuberei und Verflug können Varroamilben oder Faulbruterreger in gesunde Völker übertragen werden. Bricht die Krankheit aus, so wird das Volk stark geschwächt oder es geht sogar ein.

**Aufzucht der Königin**

Die Königin beeinflusst die Leistung eines Bienenvolkes. Werden Königinnenlarven früh und ausgiebig mit Gelée Royale gefüttert, so entwickeln sich vollwertige, leistungsstarke Tiere. Diese optimalen Aufzuchtbedingungen vererben sich aber nicht auf die nächste Generation. Ist die Königin mehr als zwei Jahre alt, vermindert sich in der Regel die Leistung des Volkes. Auch das Alter der Königin ist ein nicht erblicher Faktor.

## 6.2 Selektion

Selektion betreibt die Natur schon viel länger als der Mensch. Durch Selektion werden einerseits Völker mit vorteilhaftem Erbgut vermehrt, andererseits solche mit nachteiligem Erbgut von der Weiterzucht ausgeschlossen. Dadurch nehmen die leistungsfördernden Allele zu, die leistungsmindernden nehmen ab.

Tab. 6  **Natürliche und züchterische Selektion im Vergleich**

| Merkmal | Selektion durch Natur | Selektion in der Imkerei | Richtung |
|---|---|---|---|
| Honigleistung | Bei beschränktem Trachtangebot überleben nur jene Völker, die Trachtquellen schnell finden, sie effizient ausnützen und haushälterisch mit den Vorräten umgehen. | Der Imker bevorzugt Völker, die einen hohen Ertrag liefern. Da er seine Bienen mit Zucker füttern kann, selektioniert er kaum nach haushälterischem Umgang. | teilweise ähnlich |
| Sanftmut | Völker, die sich gegen Honigräuber verteidigen, haben bessere Überlebenschancen. | Der Imker vermehrt diejenigen Völker, die wenig stechen. | entgegengesetzt |
| Wabensitz | Wahrscheinlich wenig oder keine Selektion | Der Imker bevorzugt Bienen, die fest auf den Waben sitzen, weil sie die Arbeit erleichtern. | |
| Winterfestigkeit | Völker, die zu wenig winterhart sind, sterben in langen, kalten Wintern. | Auch in der Imkerei selektioniert die Natur. | ähnlich |
| Krankheitsanfälligkeit | Kranke Bienenvölker werden geschwächt und sterben. Robuste Völker hemmen die Vermehrung des Krankheitserregers. | Natur und Imker vermehren die widerstandsfähigsten Völker. Krankheitsbekämpfung durch den Imker behindert die natürliche Selektion. | teilweise ähnlich |
| Schwarmneigung | Völker, die schwärmen, haben in der Natur bessere Überlebens- und Vermehrungschancen. | Schwärme bringen dem Imker Nachteile. Er bevorzugt deshalb schwarmträge Völker. | entgegengesetzt |

## 6.3 Erblichkeit und Korrelation

**Erblichkeit, Mass für den Einfluss des Erbgutes**

Erbliche und nicht erbliche Einflüsse bestimmen gemeinsam die Eigenschaften des Bienenvolkes. In der Zucht brauchen wir ein Mass für den Einfluss des Erbgutes. Dieses Mass nennt man Erblichkeit oder Heritabilität ($h^2$).

**Selektion senkt Erblichkeit**

Über Jahrmillionen hat die Natur Zuchtauslese betrieben. Weisen natürliche und menschliche Selektion in dieselbe Richtung, so können die entsprechenden Merkmale nur mit grossem Aufwand verbessert werden. Dies gilt zum Beispiel für den Sammeltrieb. Die Natur hat „die Besten" bereits ausgelesen.

Gegen die Interessen der Imkerinnen und Imker hat die Natur beim Schwarmtrieb und bei der Sanftmut selektioniert. Bei solchen Merkmalen verspricht die Zuchtarbeit eher Erfolg.

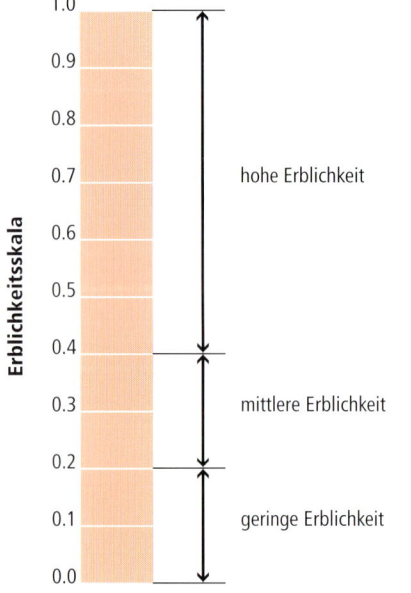
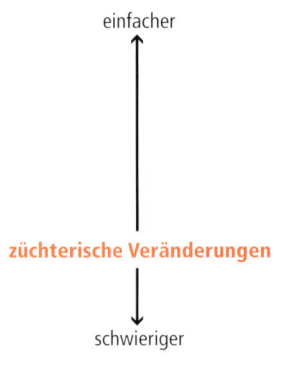

Abb. 76
**Erblichkeitsskala**
Die Erblichkeit liegt zwischen 0 und 1. Je höher die Erblichkeit, desto einfacher lässt sich ein Merkmal züchterisch verbessern.

**Erblichkeitsschätzungen bei der Biene (8)**

Tab. 7

| Merkmal | Erblichkeit Arbeiterinnen | Erblichkeit Königin | Erblichkeit Volksleistung |
| --- | --- | --- | --- |
| Honigleistung | 0,26 | 0,15 | 0,05 |
| Sanftmut | 0,41 | 0,40 | 0,12 |
| Wabensitz | 0,91 | 0,58 | 0,19 |

Die Östliche Honigbiene *Apis cerana* ist der natürliche Wirt der Varroamilbe. Ein Varroabefall endet bei ihr nicht tödlich, denn Wirt und Parasit leben in einem Gleichgewicht zusammen. Begünstigt durch regen Handel begann sich die Varroamilbe in den 50er-Jahren in Völkern der Westlichen Honigbiene *Apis mellifera* auszubreiten. Die Westliche Honigbiene geht an der Milbe zu Grunde. Die natürliche Selektion wirkt bei dieser Biene erst seit wenigen Generationen und wurde durch die Bekämpfung der Varroamilben zusätzlich abgeschwächt. Möglicherweise lässt sich die Varroatoleranz bei der Westlichen Honigbiene aber noch züchterisch verbessern (→ S. 83).

## Korrelation – Mass für die Abhängigkeit zweier Merkmale

Wird ein bestimmtes Merkmal züchterisch verbessert, so verändert sich dabei oft auch ein anderes Merkmal. Dies geschieht deshalb, weil ein Gen gleichzeitig mehrere Merkmale beeinflussen kann (→ S. 63). Solche Merkmale sind „genetisch korreliert". Nicht nur Gene, sondern auch Umwelteinflüsse wirken oft gleichzeitig auf mehrere Merkmale. So werden gute Trachtbedingungen sowohl Volksstärke als auch Honigertrag beeinflussen.

Die am Erscheinungsbild direkt festzustellende Abhängigkeit zwischen zwei Merkmalen entsteht also aus erblichen und umweltbedingten Einflüssen. Man spricht von „phänotypischer Korrelation". (3)

Zur Berechnung der Korrelationen in Tabelle 8 wurden Daten von Bienenvölkern aus Deutschland ausgewertet, und zwar in erster Linie aus Frühtrachtgebieten. Deshalb ist die genetische Korrelation zwischen Honigertrag und Frühjahrsentwicklung hoch, in Waldtrachtgebieten wäre sie vermutlich tiefer.

Abb. 77
**Korrelationsskala**
Korrelationen liegen zwischen −1 und +1.

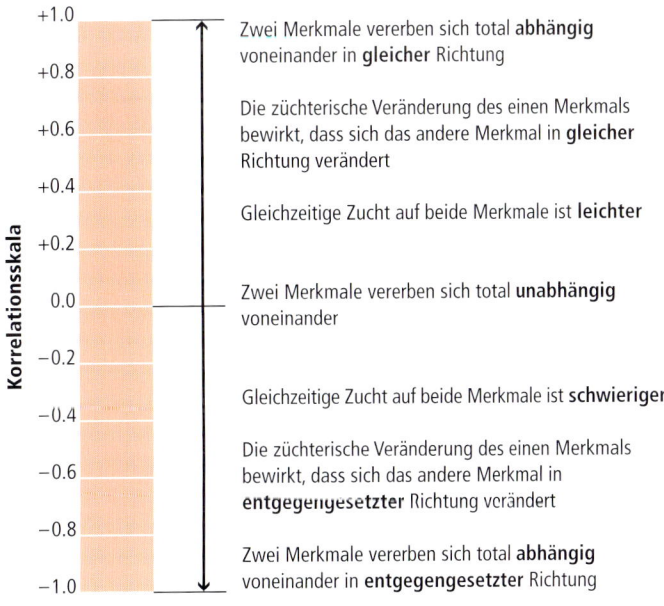

# Züchtungslehre

**Korrelationen verschiedener Merkmalspaare auf Grund der Leistungsprüfung von ungefähr 6000 Bienenvölkern (3)**   Tab. 8

| Merkmal 1 | Merkmal 2 | genetische Korrelation |
|---|---|---|
| Honigertrag | Winterfestigkeit | 0,13 |
| Honigertrag | Frühjahrsentwicklung | 0,37 |
| Honigertrag | Volksstärke | 0,21 |
| Honigertrag 1. Jahr | Honigertrag 2. Jahr | 0,20 |
| Sanftmut | Wabensitz | 0,53 |
| Sanftmut | Schwarmträgheit | 0,11 |
| Wabensitz | Schwarmträgheit | 0,18 |
| Winterfestigkeit | Frühjahrsentwicklung | 0,20 |
| Winterfestigkeit | Volksstärke | −0,26 |
| Frühjahrsentwicklung | Volksstärke | 0,58 |
| Volksstärke | Schwarmträgheit | −0,13 |

Einige Korrelationszahlen der Tabelle 8 in Worten:
– Völker, die eine gute Honigsammelleistung vererben, haben im Durchschnitt leicht besseres Erbgut bezüglich Winterfestigkeit und deutlich besseres bezüglich schneller Frühjahrsentwicklung.
– Genetisch sanftmütige Völker vererben im Allgemeinen deutlich besseren Wabensitz und leicht grössere Schwarmträgheit.
– Frühjahrsentwicklung und Volksstärke sind stark positiv korreliert. Die gleichzeitige züchterische Verbesserung ist mit wenig Aufwand möglich.
– Zwischen Winterfestigkeit und Volksstärke besteht eine deutlich negative Korrelation. Deshalb ist der Zuchtaufwand gross, um beide Merkmale gleichzeitig zu verbessern.
– Bei einseitiger Selektion auf Honigertrag nimmt die Volksstärke leicht zu.
– Einseitige Selektion auf Winterfestigkeit bewirkt eine leichte Abnahme der Volksstärke.

Diese Aussagen dürfen nicht auf Einzelvölker bezogen werden. Sie geben allgemeine, erblich bedingte Beziehungen zwischen Merkmalen an. (3)

## Gute Königin – schlechte Arbeiterin

Leistungsdaten von verwandten Bienenvölkern aus mehreren Generationen zeigen, dass Erbgut, das die Eigenschaften der Königin günstig beeinflusst, Merkmale der Arbeiterinnen verschlechtert. Umgekehrt bewirken offenbar Allelkombinationen, die für die Leistung der Arbeiterin ideal sind, bei der Königin eine schlechte Leistung (→ S. 78). Deshalb sind die entsprechenden Merkmale von Königin und Arbeiterin stark negativ korreliert.

## Züchtungslehre

Tab. 9

| Volkseigenschaft | Korrelation Königin–Arbeiterin |
|---|---|
| Honigleistung | –0,88 |
| Sanftmut | –0,91 |
| Wabensitz | –0,96 |

Die stark negativen Korrelationen dieser Tabelle belegen, dass bestimmte Allele bei der Königin positive, bei den Arbeiterinnen aber negative Wirkung haben. Daraus erklären sich die geringen Erblichkeiten bei der Volksleistung (→ Tabelle 7, Seite 68). (8)

### Selektionserfolg schätzen

Die Erblichkeit der Volksleistung kann auch als Wirkungsgrad der Selektion bezeichnet werden. Bei einer Erblichkeit der Honigleistung von 0,05 bleibt von der Überlegenheit der Zuchtvölker in der Nachkommengeneration ein Anteil von 0,05 oder 5 %.

Abb. 78
**Erblichkeit der Volksleistung und Selektionserfolg**

Die Differenz zwischen dem Durchschnitt aller Völker und dem Durchschnitt der zur Zucht verwendeten Völker bezeichnet man als Selektionsdifferenz. Im Beispiel liegt der mittlere Honigertrag der beiden Zuchtvölker 6 kg über demjenigen aller Völker. Wenn die Erblichkeit bekannt ist, kann der Selektionserfolg berechnet werden. Er beträgt $h^2$ x Selektionsdifferenz. Da die Erblichkeit der Volksleistung beim Honigertrag auf 0,05 geschätzt wird, ist der Selektionserfolg 0,05 x 6 kg = 0,3 kg. Das bedeutet, dass die Nachkommenvölker im Durchschnitt 0,3 kg über dem Honigertrag der Ausgangsvölker liegen werden. Zur Vereinfachung sind nur zehn Bienenvölker dargestellt, obwohl solche Berechnungen nur für grosse Völkerzahlen gelten. (5)

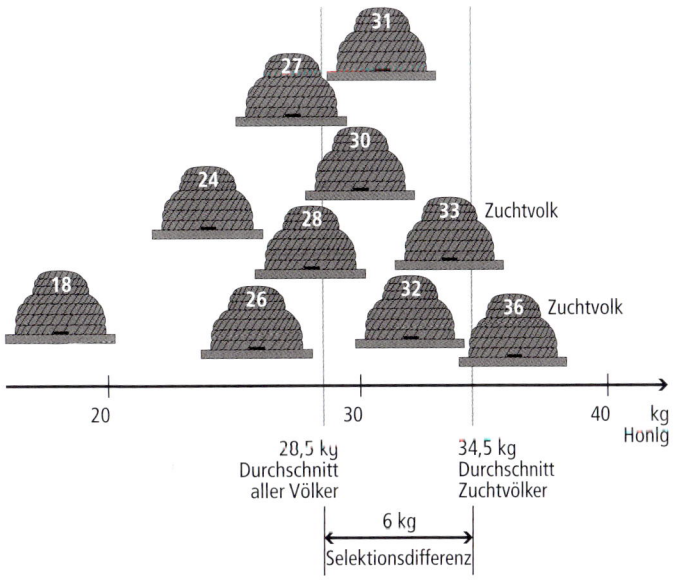

Selektionserfolg = $h^2$ x Selektionsdifferenz = 0,05 x 6 kg = 0,3 kg

# 6.4 Zuchtziel

Nur durch konsequente Selektion lässt sich im Laufe der Zeit das Erbgut der Bienenvölker verändern. Das Zuchtziel definiert, in welche Richtung selektiert werden soll. In der Imkerei steht die Honigernte im Mittelpunkt des Interesses (→ Tab. unten).
Je nach Tracht, Standort, Erbgut der Bienen und Zielen des Imkers werden die Eigenschaften unterschiedlich gewichtet.

Beim Erstellen des Zuchtzieles sind folgende Punkte zu berücksichtigen:
**Kosten und Produktepreise.** Vom Bienenvolk können Honig, Wachs, Pollen, Propolis oder Gelée Royale geerntet werden. Das Zuchtziel richtet sich nach den Ernteprodukten und nach ihrem Wert im Verkauf. Die Kosten des Zuckers bestimmen die Gewichtung des Merkmals Futterverbrauch. Die Merkmale Sanftmut und Wabenstetigkeit beeinflussen die Arbeitskosten. Freizeitimker bewerten den Zeitaufwand anders als Berufsimker.

**Standort und Betriebsweise.** Bienenvölker in Frühtrachtgebieten sollen sich im zeitigen Frühjahr schnell entwickeln. Solche in Waldtrachtgebieten hingegen die maximale Volksstärke erst im Frühsommer erreichen. Stehen die Völker inmitten eines dicht besiedelten Gebietes, so wird der Sanftmut der Bienen grösseres Gewicht beigemessen, als wenn die Völker abgelegen platziert sind.
**Erblichkeit.** Merkmale mit geringer Erblichkeit und untergeordneter wirtschaftlicher Bedeutung sollen nicht ins Zuchtziel aufgenommen werden. Trotz grosser Zuchtarbeit wäre der Zuchtfortschritt bei solchen Eigenschaften minimal. Die Anlage von Brut und Pollen spielt beispielsweise keine grosse Rolle.
**Korrelationen.** Wenn zwischen zwei Merkmalen eine stark negative Korrelation besteht, soll das Merkmal mit untergeordneter Bedeutung aus dem Zuchtziel gestrichen oder schwach gewichtet werden. So müssten beispielsweise bei starker Selektion

**Den drei imkerlich wichtigen Merkmalsbereichen lassen sich verschiedene Einzelmerkmale zuordnen** Tab. 10

| Merkmalsbereiche | Einzelmerkmale |
| --- | --- |
| Honigertrag | Sammelleistung |
| | Futterverbrauch |
| | der Tracht angepasste Brutkurve |
| Handhabbarkeit der Bienen | Sanftmut |
| | Schwarmtrieb |
| | Wabensitz |
| | Verbauen mit Propolis |
| Vitalität der Bienen | Winterhärte |
| | Putztrieb |
| | angepasster Bienenumsatz |
| | Widerstandskraft gegen Krankheiten |

## Züchtungslehre

**Tab. 11**    **Merkmale, die zur Beurteilung von Völkern bewertet werden**

| Merkmal | 4 Punkte | 3 Punkte | 2 Punkte | 1 Punkt | Bedeutung |
|---|---|---|---|---|---|
| Frühjahrsentwicklung | sehr schnell | schnell | normal | langsam | + |
| Putztrieb | sehr gut | gut | gering | fehlt | ++ |
| Sanftmut | sehr sanft | sanft | nervös | bösartig | ++++ |
| Schwarmtrieb | fehlt | leicht lenkbar | schwer lenkbar | sehr stark | +++ |
| Volksstärke | sehr stark | stark | normal | schwach | + |
| Wabensitz | fest | ruhig | laufend | flüchtig | +++ |
| Winterfestigkeit | gut | mittel | gering | fehlt | + |

auf geringen Futterverbrauch eher schwache Völker in Kauf genommen werden. Sind zwei Merkmale positiv korreliert, so kann das weniger wichtige aus dem Zuchtziel gestrichen werden. Es wird ohne zusätzlichen Aufwand gefördert. Der Wabensitz zum Beispiel verbessert sich bei Selektion auf Sanftmut automatisch.

### Beurteilung der Bienenvölker

Viele für die Bienenzucht wichtige Merkmale lassen sich nicht genau messen. Um die Qualität eines Volkes zu erfassen, muss es nach klaren Richtlinien beurteilt werden (→ Tab. oben).
Mit der Punktzahl werden Unterschiede zwischen Völkern hervorgehoben (1 Punkt = minimale Bewertung, 4 Punkte = maximale Bewertung). Die Maximal- und Minimalpunktzahl sollen nur 15 bis 20 %, die beiden mittleren Punktzahlen 30–35 % der Völker erhalten.
Eine frisch eingeweiselte, junge Königin ist von Arbeiterinnen mit fremder Abstammung umgeben. Die Beurteilung darf erst vorgenommen werden, wenn das Volk aus Nachkommen der Königin besteht.
Um objektiv zu bewerten, sollen für alle Völker möglichst gleiche Bedingungen herrschen. Sofern nötig, wird der Zeitpunkt der Bewertung mit der Blütezeit einer verbreiteten Pflanze, zum Beispiel Löwenzahn, angegeben. Die praktische Beurteilung muss in Kursen gelernt werden.
Frühjahrsentwicklung, Volksstärke und Winterfestigkeit sind Hilfsmerkmale, um in trachtarmen Jahren Anhaltspunkte über die Leistungsfähigkeit eines Volkes zu gewinnen. Sie haben deshalb nur eine geringe züchterische Bedeutung. Züchterisch wichtig hingegen sind Sanftmut, Schwarmtrieb und Wabensitz.

**Frühjahrsentwicklung.** Eine zügige Frühjahrsentwicklung ist die Voraussetzung für die Nutzung der Frühtracht. Sie kann auf Grund der Anzahl besetzter Waben bewertet werden. Je nach Zeitpunkt der Haupttracht kann eine allzu rasante Frühjahrsentwicklung unerwünscht sein. Die maximale Volksstärke wäre dann bei der Haupttracht bereits vorbei.

**Putztrieb.** Dieser Trieb ist wichtig für die Gesundheit des Bienenvolkes. Die Bestnote erhalten Völker, die nach Schlechtwetterperioden den Kastenboden sehr schnell von Gemüll und toten Bienen befreien. Es ist allerdings schwierig, den Putztrieb unabhängig von der Volksstärke zu beurteilen, weil starke Völker auch bei kühler Witterung den ganzen Beutenraum erwärmen und deshalb den Boden säubern können. Schwächere Völker lassen tote Bienen und Gemüll in kälteren Randbereichen liegen.

# 6 Züchtungslehre

Abb. 79
**Zuchtkarte**
Die normierte Zuchtkarte bildet die Grundlage für vergleichbare Völkerbeurteilungen (→ S. 65).

**Sanftmut.** Die moderne Imkerei braucht sanftmütige Bienen. Ob Bienen friedfertig oder aggressiv sind, hängt von vielen Faktoren ab (Wetter, Geschick des Imkers, Dauer des Eingriffes, Verfassung des Volkes, Raubbienen). Weil die Sanftmut stark von Umweltfaktoren abhängt, soll sie im Laufe des Jahres so oft wie möglich bewertet werden. Die Punktzahl wird im Vergleich zu anderen, gleichzeitig behandelten Völkern zugeteilt. Zunehmende Aggressivität bei Nachkommen sanftmütiger Völker könnte auf eine Paarung mit fremdrassigen Drohnen hinweisen.

**Schwarmtrieb.** Starker Schwarmtrieb verursacht viel Arbeit und Ertragseinbussen. Standort, Betriebsweise und Alter der Königin sind nicht erbliche Faktoren, die das Schwarmverhalten stark beeinflussen. Deshalb sollen nur einheitlich behandelte Völker beurteilt werden. Massstäbe zur Beurteilung sind: Anlegen und Bestiften von Weiselnäpfchen, Reaktion des Volkes auf schwarmverhindernde Massnahmen, Abschwärmen.

**Volksstärke.** Eine gewisse Volksstärke ist Voraussetzung für guten Honigertrag. Die Volksstärke wird anhand der Anzahl besetzter Waben beurteilt. Eine zuverlässige Schätzmethode wurde vom Zentrum für Bienenforschung Liebefeld entwickelt (15).

**Wabensitz.** Völker mit festem Wabensitz lassen sich leichter bearbeiten. Das ideale Volk sitzt während der Behandlung fest auf den Waben und belagert die Brutflächen mit einem dichten Bienenpelz. Es fliegen dabei nur wenige Bienen ab. Völker mit schlechtem Wabensitz verlassen die Brut, sammeln sich an den Wabenschenkeln oder laufen von den Waben weg.

**Winterfestigkeit.** Sie wird durch das Winterwetter beeinflusst und kann aus dem Verhältnis von eingewinterten zu ausgewinterten Bienen ermittelt werden. Das Erbgut der Bienenvölker muss an die lokalen klimatischen Bedingungen angepasst sein, damit ein hoher Anteil der Völker den Winter gut übersteht. (1, 29)

## 6.5 Paarungsverfahren

Im Abstammungsschema wird dargestellt, welchen Genanteil (auch Blutanteil genannt) die Vorfahren oder Rassen einbringen. Der genetische Vater ist die Königin des Drohnenvolkes (→ S. 54).

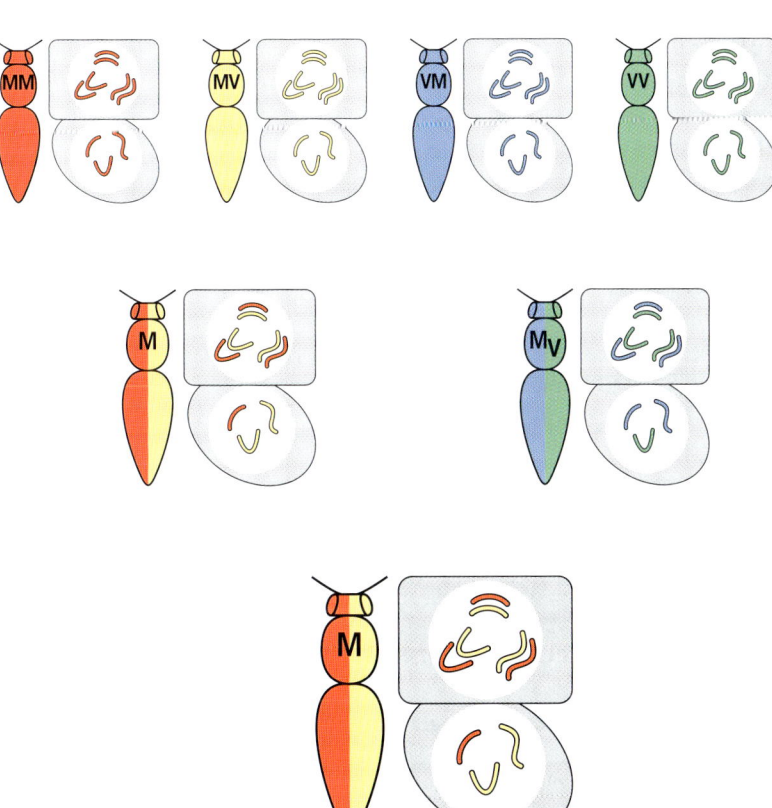

Abb. 80
**Genanteile der Vorfahren**
Die Darstellung zeigt eine Königin (K) und ihre genetischen Eltern, die Mutter (M) und die Mutter der Drohne (MV) sowie die Grosseltern (MM, MV, VM, VV). Neben jedem Individuum sind eine Körperzelle und eine mögliche Eizelle dargestellt.
Die Königin hat je $1/2$ ihres Erbgutes von ihrer Mutter und $1/2$ von der Mutter der Drohne. Von den Vorfahren, die eine Generation weiter zurückliegen, stammt durchschnittlich je $1/4$ des Erbgutes. Der Genanteil von weiter zurückliegenden Vorfahren halbiert sich pro Generation.
Die Darstellung der Verhältnisse bei den Chromosomen zeigt, dass der Genanteil der einzelnen Grosseltern von 0 und 50 % schwanken kann.

### Kreuzungszucht, das Gegenteil von Inzucht

Aus der gesamten Bandbreite von eng verwandt, und damit genetisch ähnlich, bis genetisch sehr unterschiedlich wählen die Züchterinnen oder Züchter die Paarungspartner. Die Paarung von verwandten Tieren nennt man Inzucht. Nachkommen aus Inzuchtpaarungen besitzen viele gleicherbige Genorte, und die Anzahl verschiedener Gene ist somit gering. Bei der Kreuzungszucht stammen die Paarungspartner von verschiedenen Linien oder Rassen. Besonders bei der ersten Kreuzungsgeneration ist die Zahl der ungleicherbigen Genorte erhöht.

# 6 Züchtungslehre

**Skala möglicher Paarungen**

| eng verwandte Tiere | nicht verwandte Tiere | verschiedene Linien | ähnliche Rassen | unterschiedliche Rassen |
|---|---|---|---|---|
| **Inzucht** | | **Normale Paarung** | | **Kreuzung** |
| Erbgut Paarungspartner sehr ähnlich | | bei Nachkommen | | Erbgut Paarungspartner sehr unterschiedlich |
| Inzuchtdepression | | | | Heterosis |
| vermindert | ← | Abwehrbereitschaft Sammeltrieb Vitalität | → | verstärkt |

Abb. 81
**Skala möglicher Paarungen**

## Folgen von In- und Kreuzungszucht

Die Paarung verwandter Tiere führt zu einer Leistungsabnahme, der so genannten Inzuchtdepression. Ausgeprägt ist diese bei Eigenschaften, die starkem natürlichem Selektionsdruck unterliegen; dazu gehören zum Beispiel die allgemeine Vitalität, der Sammeltrieb und die Aggressivität. Ingezüchtete Arbeiterinnen sind leichter, leben kürzer und sind schlechte Brutpflegerinnen. Bei der Königin bewirkt Inzucht ebenfalls eine Gewichtsabnahme sowie eine Reduktion der Anzahl Eischläuche. Vermutlich ist auch die Produktion der Pheromone eingeschränkt, denn Völker mit ingezüchteten Königinnen neigen zu schlechtem Wabensitz und erhöhter Aggressivität.

In Folge einer Inzuchtpaarung entstehen ausserdem diploide Drohnen-Eier, die ausgeräumt werden und Brutlücken hinterlassen (→ S. 60). (6, 2)

Werden ingezüchtete Tiere an nicht verwandte Individuen angepaart, so weist die Folgegeneration keine Inzuchtdepression mehr auf.

Bei Kreuzungszucht entstehen in der ersten Generation einheitliche, oft aggressive, vitale Bienenvölker mit guter Sammelleistung und lückenloser Brut. Diese Leistungssteigerung durch das Zusammentreffen unterschiedlicher Erbinformationen nennt man Heterosis. Werden Kreuzungstiere untereinander gepaart, so halbiert sich die Heterosiswirkung in jeder Folgegeneration. Durch die vielen möglichen Neukombinationen bei Reifeteilung und Befruchtung treten genetisch vielfältige Nachkommenvölker auf (→ S. 54).

**Auswirkungen der Inzucht bei Königin und Arbeiterinnen**    Tab. 12

| Merkmal | Auswirkungen der Inzucht bei der Königin | den Arbeiterinnen |
|---|---|---|
| Honigertrag | 0 | ↘ |
| Sanftmut | (↘) | ↗ |
| Wabensitz | ↘ | ↗ |
| Winterfestigkeit | (↘) | 0 |
| Frühjahrsentwicklung | 0 | 0 |
| Volksstärke | ↘ | ↘ |
| Schwarmträgheit | (↘) | ↘ |
| Bauleistung | (↘) | ↘ |

| ↗ | Einfluss in erwünschter Richtung | 0 | = kein Einfluss |
| ↘ | Einfluss in unerwünschter Richtung | ( ) | = nur Tendenz, nicht gesichert |

## Bienen vermeiden Inzucht

Die Natur reduziert Inzuchtpaarungen, indem
- die Königinnen Hochzeitsflüge über weite Distanzen, zu fremden Drohnen, unternehmen,
- die Königinnen auf Drohnensammelplätzen begattet werden, wo sich Drohnen verschiedener Völker treffen,
- die Paarung mit acht bis zwölf Drohnen eine vielfältige Mischung des Erbgutes sichert.

## Inzuchtgrad

Der Inzuchtgrad gibt die Wahrscheinlichkeit an, mit der Gene von Vorfahren zusammentreffen, die im Stammbaum sowohl auf Mutter- als auch auf Vaterseite vorkommen. Er lässt sich berechnen, wenn die Abstammung bekannt ist, was nur bei künstlicher Besamung gewährleistet ist. Bei Belegstellenbegattung kann der Inzuchtgrad geschätzt werden, wenn alle Drohnenmütter Schwestern sind und keine fremden Drohnen zur Paarung kommen. Je weiter Vorfahren im Stammbaum zurückliegen, desto weniger beeinflussen sie den Inzuchtgrad.

## Rotationspaarung

Die Rotationspaarung bezweckt, Inzuchtschäden zu vermeiden oder die Heterosiswirkung zu nutzen. Die ausgewählten Linien oder Rassen werden in stetem Wechsel als Vatervölker eingesetzt.

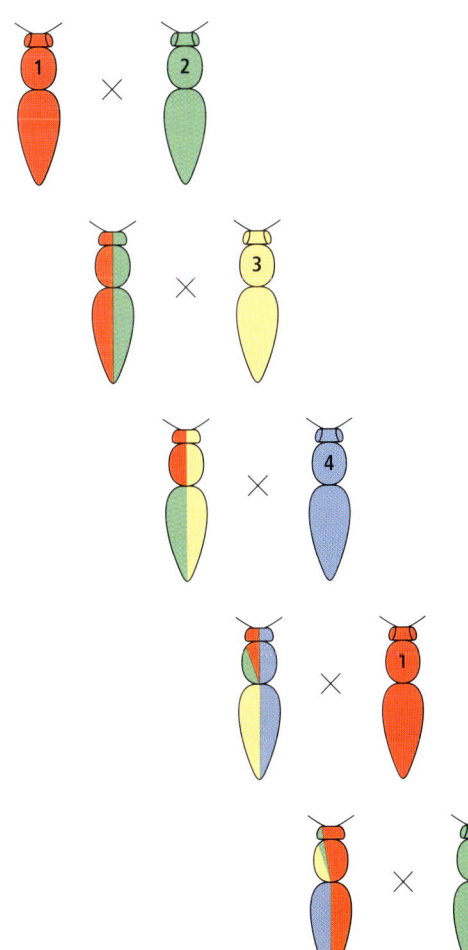

Abb. 82
**Rotationspaarung**
Die Linie oder Rasse mit der geringsten Verwandtschaft zu den Muttervölkern dient als Vatervolk. Die Zahlen bezeichnen verschiedene Linien oder Rassen.

# 6 Züchtungslehre

## Königinnen- und Arbeiterinnenlinien

Es ist vorteilhaft, gesondert Königinnen- und Arbeiterinnenlinien zu züchten, denn die guten Eigenschaften von Königinnen und Arbeiterinnen sind häufig negativ korreliert (→ S. 71). Die Königinnenlinie weist hervorragende Merkmale für Königinnen auf, die Arbeiterinnenlinie zeichnet sich durch gute Merkmale für Arbeiterinnen aus und liefert die Drohnenvölker. In einem umfangreichen Zuchtprogramm wird die bestmögliche Kombination von Königinnen- und Arbeiterinnenlinien gesucht. Es werden jene Zuchtstofflieferanten und Drohnenvölker selektioniert, deren Nachkommen hervorragende Leistungen erbringen. Die Leistungen der Elternlinien werden dabei ignoriert. (4)

Abb. 83
**Zuchtverfahren mit spezialisierten Linien**
Die Königinnen der Wirtschaftsvölker stammen aus einer Linie, die ausgezeichnete Königinnenmerkmale aufweist. Das Erbgut der Arbeiterinnen besteht je zur Hälfte aus jenem der Königin und dem der angepaarten Drohnen. Die Linie der Drohnen soll deshalb optimale Arbeiterinnenmerkmale vererben. Bei dieser Linienkreuzung wirkt bei den Arbeiterinnen auch der Heterosiseffekt. Wird mit den Wirtschaftsvölkern weitergezüchtet, so geht die Leistung stark zurück.

## Neukombinationen

Ziel der Paarung genetisch unterschiedlicher Partner ist die Vereinigung positiver Eigenschaften von Linien oder Rassen. Neben Nachkommen mit erwünschten Genkombinationen treten in den Folgegenerationen auch viele unerwünschte Genotypen auf. Diese müssen konsequent selektiert werden.

Abb. 84
**Neukombinationen**
Heterosis beeinflusst die Leistungen der ersten Kreuzungsgeneration positiv. In den Folgegenerationen nimmt aber die Leistung wieder ab.

Linie 1     Linie 2

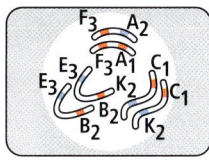 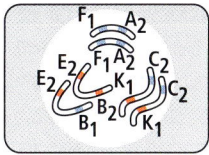

Zwei Linien oder Rassen mit Stärken und Schwächen

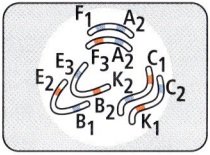

1. Kreuzungsgeneration, maximale Heterosis, sehr einheitlich

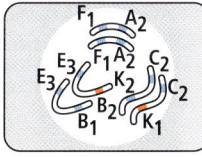 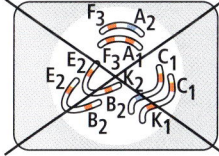

Grosse Streuung, Abnahme der Heterosis, Selektion über viele Generationen
Zelle links: erwünschtes Erbgut
Zelle rechts: unerwünschtes Erbgut ausscheiden

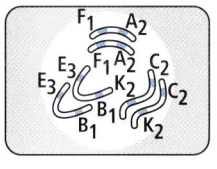

Ziel:
Stärken einer Linie oder Rasse vereinigt, keine Heterosiseffekte mehr

▬ leistungsförderndes Allel     ▬ leistungshemmendes Allel

## 6.6 Zuchtwertschätzung

Mit der Zuchtwertschätzung wird das Leistungsvermögen beurteilt, das eine Königin an ihre Nachkommen weitervererbt. Dabei müssen alle Leistungsunterschiede korrigiert werden, die sich aufgrund nicht erblicher Einflüsse, Inzuchtdepression oder Heterosiseffekt ergeben können (→ S. 66). Leistungen von Völkern verschiedener Standorte dürfen nicht direkt verglichen werden. Nur wenn alle Völker einheitlich behandelt werden, ist die Zuchtwertschätzung zuverlässig. Je häufiger bewertet wird, desto sicherer sind die Resultate. Die Zuchtwertschätzung gewinnt zudem an Aussagekraft, wenn Bewertungen aus mehreren Jahren sowie Resultate verwandter Völker mit einbezogen werden. (9) Bei natürlicher Paarung und speziell bei Standbegattung ist die Zuchtwertschätzung weniger exakt, da die Verwandtschaftsbeziehungen nur teilweise bekannt sind.

## Prüfstände: Königinnentest unter Standardbedingungen

Um erbliche Unterschiede verschiedener Zuchtlinien aufzuzeigen, werden Völker auf Prüfständen unter gleichen Tracht-, Klima- und Pflegebedingungen bewertet. Wenn alle Königinnen in gleich schwere Kunstschwärme eingeweiselt werden, haben sie einheitliche Startbedingungen. Optimal ist die Aufstellung von 15 bis 25 Prüfvölkern pro Prüfstandort. Wird mit weniger Völkern gearbeitet, verringert sich die Aussagekraft der Resultate. Auf Prüfständen mit mehr als 25 Völkern kann die Konkurrenz zwischen den Völkern die Zuchtwertschätzung verfälschen.

## Computerauswertung

Moderne Zuchtwertschätzverfahren arbeiten mit komplexen Modellen, die Verwandtschaftsbeziehungen und Leistungsmerkmale vieler Völker mit einbeziehen. Spezielle Computerprogramme berechnen daraus zuverlässige Zuchtwerte. Für den wirkungsvollen Einsatz des Computers müssen sich viele Züchter zusammenschliessen.

## Selektionsindex

Die gleichzeitige Verbesserung mehrerer Merkmale ist besonders wirkungsvoll, wenn ein Selektionsindex berechnet wird. Zuerst müssen alle nicht erblichen Einflüsse aus den Leistungsdaten ausgeklammert werden. Dann werden die Differenzen zwischen korrigierten Volksleistungen und Durchschnittswerten bestimmt und nach wirtschaftlicher Bedeutung, Erblichkeit und Korrelationen gewichtet. Die Berechnung der wirtschaftlichen Bedeutung bereitet in der Bienenzucht Mühe. (7)

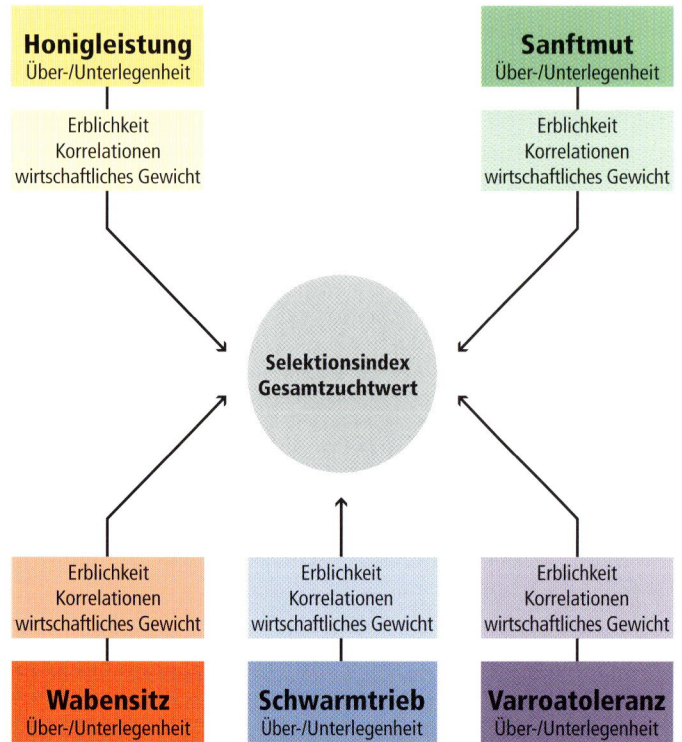

Abb. 85
**Selektionsindex**
In diesem Beispiel berechnet sich der Selektionsindex aus den Merkmalen Honigleistung, Sanftmut, Varroatoleranz, Schwarmtrieb und Wabensitz.

## 6.7 Zuchtfortschritt

Der Zuchtfortschritt wird durch folgende Faktoren beeinflusst:

**Generationsdauer.** Bienen haben eine kurze Generationsdauer. Schon nach ein bis zwei Jahren sind die Leistungen der Nachkommenvölker bekannt, und es können neue Selektionsentscheide getroffen werden, was den Zuchtfortschritt vorantreibt.

**Selektionsintensität.** Von einem Muttervolk lassen sich viele Jungköniginnen nachziehen, und die Auslese kann auf wenige Zuchtstofflieferanten beschränkt werden, was den Zuchtfortschritt beschleunigt. Werden aber die Möglichkeiten der strengen Selektion konsequent ausgenützt, steigt der Inzuchtgrad der Zuchtvölker rasch an.

**Sicherheit der Zuchtwertschätzung.** Wegen vielfältigen Umwelteinflüssen, komplizierten Verwandtschaftsverhältnissen im Bienenvolk, Inzuchtdepression und Heterosis ist eine exakte Zuchtwertschätzung schwierig, was den Zuchtfortschritt verlangsamt.

**Anzahl Merkmale des Zuchtzieles.** Wenn sich das Zuchtziel auf wenige wichtige Einzelmerkmale beschränkt, lassen sich diese schneller verbessern, als wenn viele Merkmale einbezogen werden.

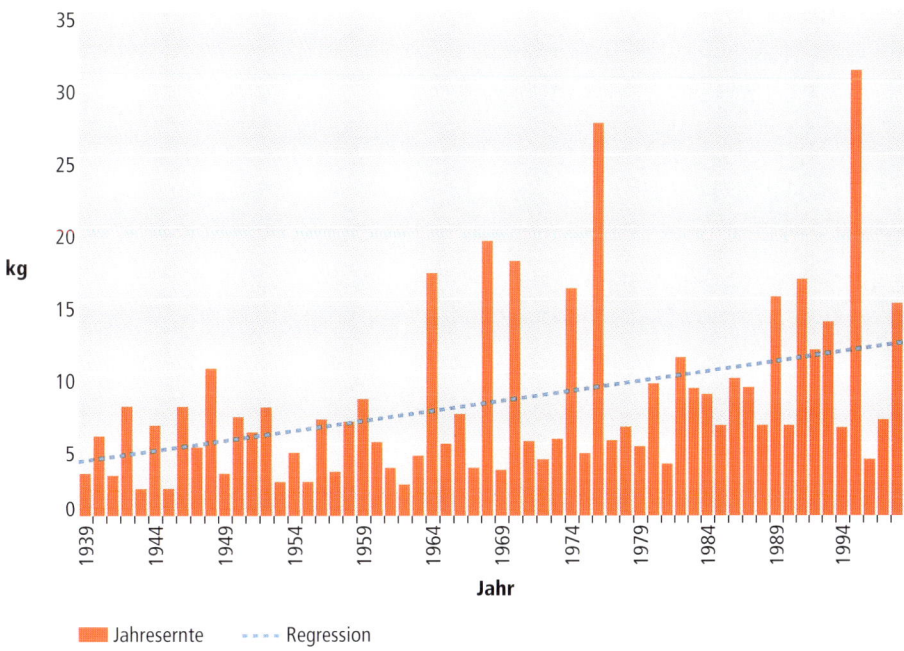

Abb. 86
**Welchen Anteil hat der Zuchtfortschritt?**
Durchschnittliche Honigerträge pro Volk in der deutschen und rätoromanischen Schweiz von 1939–1998. Die Honigerträge stiegen pro Jahr um durchschnittlich 138 g an. Sind genetisch bessere Bienen, veränderte Trachtbedingungen, steigende Temperaturen, andere Betriebstechniken, andere Gewohnheiten bei der Ernteberichterstattung und weitere unbekannte Faktoren dafür verantwortlich? Zweifellos sind sowohl erbliche als auch Umweltfaktoren beteiligt. Der Anteil des Zuchtfortschrittes ist schwierig zu ermitteln.

## Züchtungslehre

**Nutzen der künstlichen Besamung**

Auch in der Bienenzucht ermöglicht die künstliche Besamung (KB) eine kontrollierte Paarung, was weder bei Belegstellen- noch bei Standbegattung gewährleistet ist. Die Leistungen der Nachkommen liefern sichere Zuchtwerte zur Beurteilung der Elterngeneration. Deshalb werden in der Nutztierzucht Vatertiere für die KB in einem „Prüfeinsatz" an weibliche Tiere angepaart. Weisen die Nachkommen gute Leistungen auf, ist das Tier für einen grösseren Einsatz geeignet. Bei der Biene ist die Drohnenmutter der genetische Vater. Mit dem Sperma ihrer Drohnen werden Königinnen befruchtet. Sind die Völker dieser Königinnen leistungsstark, so eignet sich die geprüfte Königin als Drohnenmutter.

**Züchterische Sackgassen**

Dank Zuchtwertschätzungen mit Computerprogrammen und biotechnischen Methoden wie künstlicher Besamung sowie gut organisierten Zuchtverbänden lässt sich das Erbgut der Bienen relativ rasch verändern. Wegen der komplexen Zusammenhänge bei Erbgut und Stoffwechsel können erwünschte Veränderungen auch unerwünschte mit sich bringen. Deshalb müssen die Züchterinnen und Züchter immer alle Eigenschaften des Volkes im Auge behalten. Erfahrungen mit anderen Nutztieren lehren, dass Folgen einseitiger Zucht später oft mit grossem Aufwand korrigiert werden müssen.

## 6.8 Zucht auf Krankheitsresistenz

Selektion auf allgemeine Krankheitsresistenz ist schwierig, obwohl bisweilen genetische Faktoren den Krankheitsausbruch und -verlauf mitbestimmen.

Zu Beginn des 20. Jahrhunderts vernichtete die Tracheenmilbe in England fast alle Völker der Dunklen Biene *(Apis mellifera mellifera)*. Linien der Italienischen Biene *(Apis mellifera ligustica)* erwiesen sich als resistent gegen diese Krankheit. Dies zeigt, dass erbliche Faktoren eine Rolle spielen. (12)

Auch die Resistenz gegen Kalkbrut wird wahrscheinlich durch genetische Faktoren beeinflusst. Folgende Merkmale könnten erblich sein:

**Putztrieb.** Bei ausgeprägtem Putztrieb räumen die Bienen die Kalkbrutmumien umgehend aus. Völker mit reduziertem Putztrieb sind vermehrt Pilzsporen ausgesetzt, was die Heilung erschwert.

**Ventiltrichter.** Es wird vermutet, dass der Ventiltrichter mehr oder weniger Pilzsporen herausfiltert. Der Ventiltrichter trennt die festen Bestandteile und den flüssigen Inhalt der Honigblase (→ Band „Biologie", S. 21).

**Pilztötende Substanzen.** Im Pollen widerstandsfähiger Völker wurden pilztötende Substanzen nachgewiesen.

**Bakterien.** In einigen Völkern gibt es Bakterien, die das Wachstum des Kalkbruterregers hemmen. (21)

Auch gegen andere Krankheiten ist die Resistenz der Bienen unterschiedlich stark ausgeprägt. Doch ist für die Gesundheit der Völker die Umwelt von grosser Bedeutung. Futtermangel wegen schlechten Klimabedingungen, ungenügendem Trachtangebot oder zu hoher Bienendichte sowie mangelhafte Pflege schwächen die Völker. Deshalb ist die Erblichkeit für Resistenzmerkmale gering und ihre Verbesserung schwierig. Um widerstandsfähige Linien zu züchten, müssten sich viele Züchterinnen und Züchter zusammenschliessen und verschiedene Linien unter vielfältigen Bedingungen prüfen.

## Züchtungslehre

### Varroatoleranz

Ideal für die Imkerei wäre eine Biene, die wie die Östliche Honigbiene ohne Probleme mit der Varroamilbe leben kann. Dieses Zuchtziel ist noch in weiter Ferne. Realistischer ist die Selektion von Völkern, die nur eine minimale Varroabekämpfung brauchen. Der Milbenbefall eines Volkes im Spätsommer wird beeinflusst durch viele Umwelteinflüsse wie die Anzahl Milben bei Brutbeginn, Brutpausen, eingeschleppte Milben und weitere zum Teil noch unbekannte Faktoren. Deshalb werden Hilfsmerkmale benötigt, die gut messbar sind und die die erbliche Varroatoleranz der Bienenvölker wesentlich mitbestimmen.

**Bruthygiene.** Die Varroamilbe kann sich nicht entwickeln, wenn die Bienen die befallenen, verdeckelten Brutzellen öffnen und ausräumen. Zur Messung des Bruthygieneverhaltens werden verdeckelte Larven mit einer feinen Nadel angestochen. Völker mit gutem Bruthygieneverhalten räumen angestochene Zellen schnell aus.

**Putzabwehr.** Milben werden von Bienen gepackt und zum Teil verletzt. Das Putzverhalten kann durch Auszählen der beschädigten Milben gemessen werden. Die Verletzungen geben aber keinen Aufschluss darüber, ob sie vor oder nach dem Tod der Milbe zugefügt wurden.

Unter Laborbedingungen lassen sich Putzabwehr und Bruthygieneverhalten mit Infrarotkameras beobachten. Sind die Arbeiterinnen markiert, so können besonders aktive Tiere erkannt und in weisellosen Völkchen als Afterköniginnen zum Eierlegen angeregt werden. Es entstehen nur Drohnen, mit deren Sperma gezielt Königinnen besamt werden. Nachkommen solcher Königinnen zeigen bessere Putzabwehr und aktiveres Bruthygieneverhalten, wenn diese Eigenschaften tatsächlich erblich sind.

**Brutattraktivität.** Die Brut verschiedener Bienenherkünfte könnte die Varroamilben unterschiedlich anziehen. Ist die Brut weniger attraktiv, so verweilt der Parasit vermutlich länger auf der Biene, was die Vermehrung des Parasiten bremst.

**Verdeckelungsdauer.** Die Brut der Östlichen Honigbiene ist um einige Stunden weniger lang verdeckelt als jene der Westlichen, wodurch der Varroamilbe weniger Zeit zur Entwicklung gegeben ist. Auch Rassen und Linien Westlicher Honigbienen haben leicht unterschiedliche Verdeckelungszeiten, was bei der Selektion berücksichtigt werden könnte.

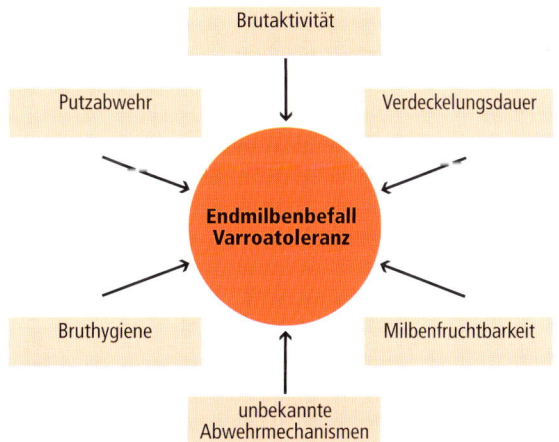

Abb. 87

**Faktoren der Varroatoleranz**

Die Abwehrmechanismen und -strategien gegen die Varroamilbe sind vielfältig. Sie sind bei der Östlichen Honigbiene in viel höherem Masse entwickelt als bei der Westlichen Honigbiene.

**Milbenfruchtbarkeit.** Bei der Östlichen Honigbiene sowie bei Afrikanisierten Bienen Südamerikas sind die Varroamilben häufig steril. Bisher wurden bei den Westlichen Honigbienen keine genetischen Unterschiede bezüglich der Milbenfruchtbarkeit nachgewiesen.

Um die genetische Widerstandskraft der Biene gegen die Varroamilbe erfolgreich zu verbessern, müssen möglichst viele Völker in die Selektion einbezogen werden. Es soll nach Merkmalen selektiert werden, die einfach zu messen sind und genetisch eng mit der Varroatoleranz korrelieren. (10, 11, 13, 14, 20, 26)

**Verschiedene Milbentypen**

Neueste Genanalysen zeigen, dass es weltweit verschiedene Varroa-Genotypen gibt, die den Bienen gegenüber unterschiedlich virulent sind. Die in Europa verbreitete Milbe heisst *Varroa destructor.* Sie wird dem Russland-Korea-Typ zugeordnet, der *Apis mellifera* ganz besonders schädigt. Auf den asiatischen Inseln ist der Malaysia-Indonesien-Typ verbreitet, der zur Art *Varroa jacobsoni* gehört und *Apis mellifera* nicht ernsthaft gefährdet. (19)

## 6.9 Merkpunkte zur Züchtungslehre

1. Eigenschaften der Bienen, welche die Natur schon seit Jahrtausenden bevorzugt hat, wie beispielsweise allgemeine Vitalität und Sammeltrieb, lassen sich nur mit viel Aufwand verbessern. Zuchtbemühungen sind eher von Erfolg gekrönt, wenn Eigenschaften selektiert werden, die die Natur nicht favorisiert, wie z. B. Sanftmut und Schwarmträgheit. Diese lassen sich relativ leicht verbessern.
2. Die genetische Qualität eines Bienenvolkes ist schwer abzuschätzen, denn nicht nur das Erbgut beeinflusst die Leistung, sondern auch die Aufzuchtbedingungen der Königin, der Standort des Volkes, die Tracht, die Pflegemassnahmen des Imkers und andere, schwer erkennbare Faktoren (Krankheiten, stille Räuberei, Inzuchtdepression, Heterosis).
3. Zur Zuchtwertschätzung werden alle nicht vererbbaren Einflüsse ausgeklammert. Eine Rangierung von Völkern eines Standes ist nur bei gleicher Behandlung möglich. Auf Prüfständen werden verschiedene Zuchtlinien unter gleichen Bedingungen geprüft.
4. Erbgut, das die Biene zu einer guten Arbeiterin macht, bewirkt bei der Königin eher schlechte Leistungen. Dies erschwert Zuchtwertschätzung und Zuchtfortschritt. Durch die Selektion getrennter Königinnen- und Arbeiterinnenlinien können negative Korrelationen teilweise umgangen werden.
5. Durch Inzucht nehmen Abwehrbereitschaft, Sammeltrieb und Vitalität der Bienenvölker ab. Der Inzuchtgrad von Königin und Arbeiterinnen im gleichen Volk ist meist verschieden. Vor allem bei den Bienen ist Inzucht zu vermeiden. Werden ingezüchtete Königinnen mit nicht verwandten Drohnen gepaart, weist die folgende Generation keine Inzuchtdepression mehr auf.
6. Heterosis ist das Gegenteil von Inzuchtdepression. Sind die Paarungspartner genetisch verschieden, so kann sich die Volksleistung unerwartet erhöhen. Erhöhte Stechlust ist oft die Folge von Heterosis. Werden Nachkommen aus Kreuzungen untereinander gepaart, halbiert sich die Heterosiswirkung mit jeder Folgegeneration, und die Vielfalt der Eigenschaften nimmt stark zu.

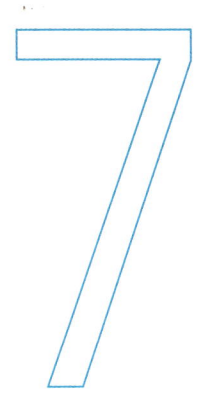

# Erbgut der Honigbienen in Mitteleuropa

Ruedi Ritter

Gewässer und Gebirge bilden natürliche Grenzen, die geografische Gebiete voneinander trennen. Man nimmt an, dass in solch isolierten Gebieten verschiedene Bienenrassen entstanden sind. Diese geografischen Rassen sind optimal an die Tracht- und Witterungsbedingungen ihres Lebensraumes angepasst.

Aufgrund der zunehmenden Mobilität begann der Mensch, Bienenvölker aus ihren angestammten Gebieten in alle Welt zu transportieren. In der Folge vermischten sich zunehmend die geografischen Rassen (→ Band „Natur- und Kulturgeschichte", S. 13 und 16).

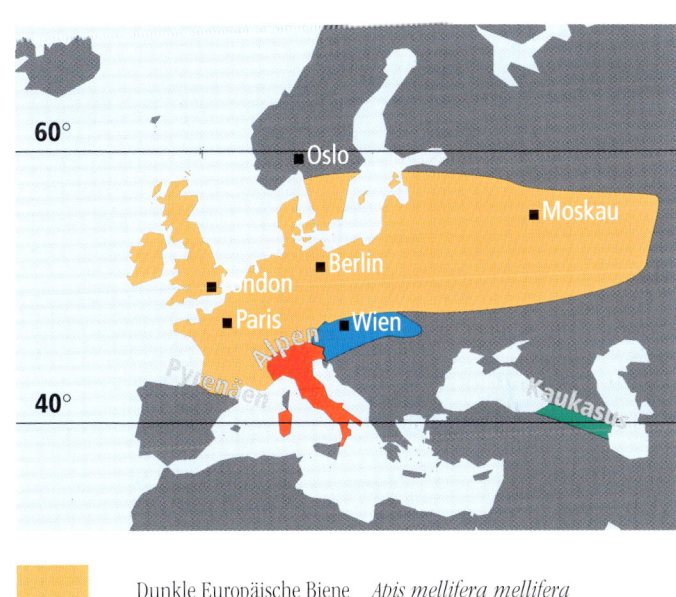

Abb. 88
**Die wichtigsten europäischen Bienenrassen**
Das ursprüngliche Verbreitungsgebiet der Rassen war durch Gebirge oder Meere abgegrenzt.

# 7 Erbgut der Honigbienen in Mitteleuropa

## 7.1 Klassifizierung der Honigbienen

Die in Europa gehaltenen Bienen gehören zur Gattung Honigbiene *(Apis)* und zur Art Westliche Honigbiene *(Apis mellifera)*. Bienen derselben Art können sich untereinander paaren und haben fruchtbare Nachkommen. Der Begriff „Art" ist biologisch klar definiert. Königinnen lassen sich nicht mit Drohnen einer anderen Art begatten. Die Gene für Varroatoleranz der Östlichen Honigbiene *(Apis cerana)* beispielsweise können nicht durch Einkreuzung auf die Westliche Honigbiene übertragen werden (→ S. 83).

### Rasse

Die Westliche Honigbiene umfasst ungefähr 25 verschiedene Rassen (23). Diese sind an die besonderen Klima- und Trachtverhältnisse ihres Lebensraumes angepasst. Im Gegensatz zum Begriff „Art" ist der Begriff „Rasse" biologisch nicht klar festgelegt. Rassen werden nach ihrem ursprünglichen Verbreitungsgebiet eingeteilt und unterscheiden sich in Aussehen, Stoffwechsel und Verhalten. Sie werden aufgrund ihrer lokalen Herkunft und Verwandtschaft weiter unterteilt in Stämme und Linien.

Nördlich der Alpen war ursprünglich nur die Dunkle Europäische Biene *(Apis mellifera mellifera)* heimisch. Doch seit Mitte des 19. Jahrhunderts haben Imker vor allem *Apis mellifera carnica* und *A. m. ligustica* auf die Alpennordseite geholt. Die Kaukasische Biene ist zwischen Schwarzem und Kaspischem Meer beheimatet. Auch sie wurde in verschiedene Regionen Europas eingeführt. Als Folge des regen Austausches von Bienenvölkern verschiedener Rassen, der weiten Paarungsdistanzen von Königinnen und Drohnen und der meist nicht kontrollierten Paarung sind heute fast überall Rassenmischungen anzutreffen. Neben den oben genannten vier Rassen wird heute oft auch mit der *Buckfast*-Biene geimkert (→ S. 93).

Tab. 13

| | | | |
|---|---|---|---|
| **Gattung** | Honigbiene | *Apis* | |
| **Art** | Westliche Honigbiene | *Apis mellifera* | |
| **Rassen** | *Mellifera*-Biene oder Dunkle Europäische Biene | *Apis mellifera mellifera* | |
| | *Carnica*-Biene oder Graue Biene Krainer Biene Kärntner Biene | *Apis mellifera carnica* | |
| | *Ligustica*-Biene oder Italienische Biene | *Apis mellifera ligustica* | |
| | Kaukasische Biene | *Apis mellifera caucasica* | |

(→ Band „Natur- und Kulturgeschichte", S. 9 und 10)

# 7.2 Unterscheidungsmerkmale der Rassen Mitteleuropas

Züchterinnen und Züchter wünschen sich einen geradlinigen Verlauf des Zuchtfortschrittes, der sich klar an Leistungs- und Verhaltensmerkmalen abzeichnet. Paarungen mit Drohnen fremder Rassen führen zu Rückschlägen auf dem Weg zum Zuchtziel. Zudem zeigen gekreuzte Völker aufgrund des Heterosiseffektes Eigenschaften, die nach einigen Generationen wieder verschwinden. Um Rassen erkennen zu können, wurde deshalb nach rassetypischen Merkmalen gesucht.

Rassen unterscheiden sich in Körperbau, Stoffwechsel oder Verhalten. Bienen werden meist nur anhand des Körperbaus einer bestimmten Rasse zugeordnet. Um ein Volk auf Rasseneinheit zu prüfen, müssen bestimmte Körpermerkmale von je 50 Arbeiterinnen und Drohnen untersucht werden. Es werden Bienen beurteilt, die isoliert vom Volk, zum Beispiel im Brutschrank, geschlüpft sind. Damit wird vermieden, dass aus fremden Völkern zugeflogene Arbeiterinnen und Drohnen das Resultat verfälschen.

Zur Taxierung (Körung) eines Volkes werden verschiedene Techniken angewendet, die in Kursen der Rassenzuchtverbände gelernt werden können.

In Mitteleuropa werden heute vor allem die Rassen *A. m. carnica* und *A. m. mellifera* gezüchtet. Für diese Rassen gibt der Deutsche Imkerbund (DIB) Richtlinien zur Körung heraus, die den Bereich rassetypischer Merkmale bezeichnen.

**Panzerzeichen**

Am dunkelbraunen bis schwarzen Hinterleib der Arbeiterinnen und Drohnen treten helle, gelbe bis orangefarbene Stellen auf. Diese werden nach folgendem Schema klassiert:

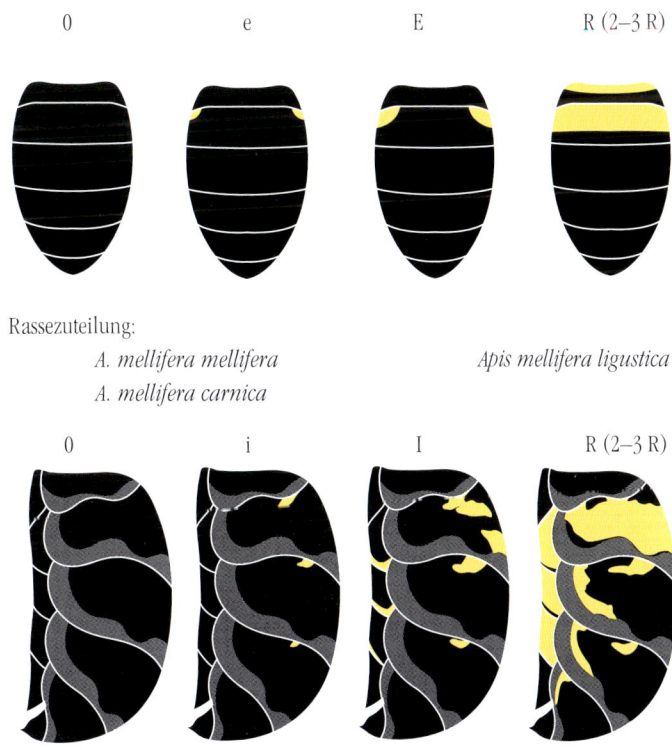

Abb. 89
**Klassierung der Panzerzeichen von Bienen**
Bei Arbeiterinnen: 0 = ohne Panzerzeichen,
e = kleine, kaum erkennbare Ecken,
E = grosse, deutlich sichtbare Ecken,
R = geschlossene Ringe,
2 R oder 3 R = 2 oder 3 Ringe

Bei Drohnen: 0 = ohne Panzerzeichen,
i = kleine Inseln, I = grosse Inseln,
R = geschlossene Ringe,
2 R oder 3 R = 2 oder 3 Ringe

Rassezuteilung:
*A. mellifera mellifera*
*A. mellifera carnica*
*Apis mellifera ligustica*

## Haarlänge

Die Länge der Überhaare der zweitletzten Rückenschuppe wird mit der Breite des ersten Zehengliedes am hinteren Beinpaar verglichen. Entspricht die Haarlänge etwa der Breite des ersten Zehengliedes, so gilt sie als mittellang. Längere Haare werden als lang und kürzere als kurz bezeichnet.

## Filzbindenbreite

Auf der dritten, vierten und fünften Rückenschuppe der Arbeiterin befinden sich Streifen mit Unterhaaren. Diese Streifen nennt man Filzbinden. Ist die Filzbinde der vierten Schuppe an ihrer breitesten Stelle gleich breit wie der dahinter liegende dunkle Teil, so ist die Filzbindenbreite mittel.

 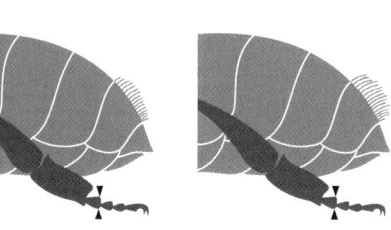

Abb. 90
**Bestimmung der Haarlänge**
k = kurzes Überhaar, m = mittellanges Überhaar, l = langes Überhaar

Rassezuteilung:
*A. mellifera carnica*

*Apis mellifera mellifera*

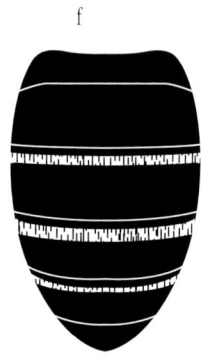 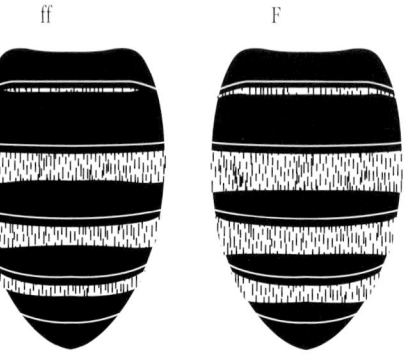

Abb. 91
**Einteilung der Filzbindenbreite**
f = schmale Filzbinde, ff = mittelbreite Filzbinde, F = breite Filzbinde

Rassezuteilung:
*A. mellifera mellifera*

*Apis mellifera carnica*

## Merkmale der Flügeladern

Die Flügel der Bienen weisen feine Adern (Verdickungen aus Chitin) auf. Diese verleihen den Flügeln Stabilität. Das Muster dieser Adern weist rassetypische Unterschiede auf. Cubitalindex, Diskoidalverschiebung und Hantelindex werden auf Grund des Adermusters am Vorderflügel bestimmt. Die Resultate aus den Messungen werden nach bestimmten Vorgaben Klassen zugeordnet.

Erbgut der Honigbienen in Mitteleuropa

## Cubitalindex

Beim Cubitalindex wird der Durchschnittswert aller Messungen berechnet. Um Fehlpaarungen zu erkennen, werden aber auch die unterschiedlichen Werte der Einzeltiere berücksichtigt.

Abb. 92
**Cubitalindex**
Der Cubitalindex berechnet sich aus der Division von Strecke a durch Strecke b.

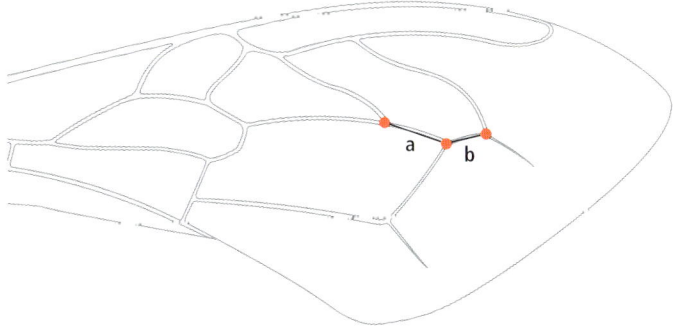

Tab. 14 **Cubitalindex von Arbeiterinnen**

| | | | |
|---|---|---|---|
| *Apis mellifera mellifera* | Mittelwert 1,7 | Bereich 1,3–2,3 | Klassen 10–17 |
| *Apis mellifera carnica* | Mittelwert 2,7 | Bereich 1,9–4,7 | Klassen 15–25 |
| *Apis mellifera ligustica* | Mittelwert | ähnlich Carnica | |
| *Apis mellifera caucasica* | Mittelwert 2,2 | Bereich 1,8–2,4 | Klassen 14–18 |

Abb. 93
**Cubitalindex von *Mellifera* und *Carnica***
Die Verteilung des Cubitalindexes von rassereinen Völkern ist glockenförmig und ohne Nebengipfel. Die Cubitalindices der Arbeiterinnen beider Rassen überschneiden sich im Bereich der Klassen 15–17.

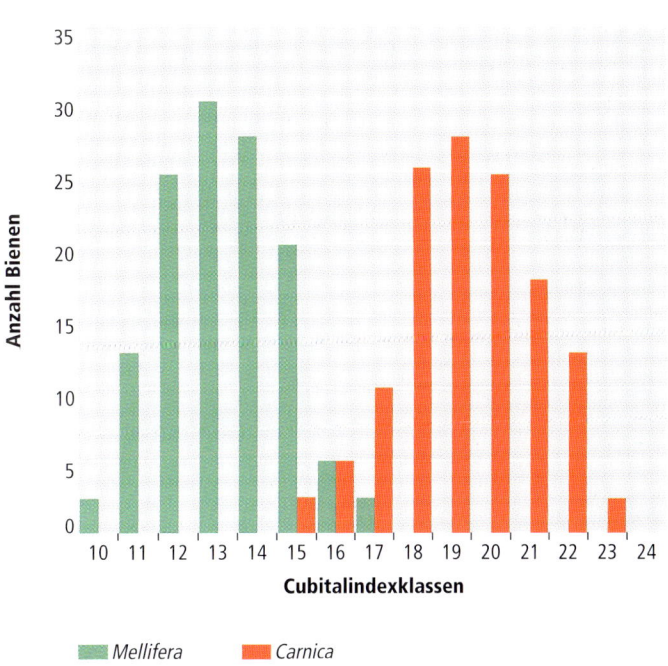

# 7 Erbgut der Honigbienen in Mitteleuropa

## Diskoidalverschiebung und Hantelindex

In der Praxis werden heute in der Schweiz zur Unterscheidung der Rassen meist Diskoidalverschiebung und Hantelindex nach Kruber verwendet.

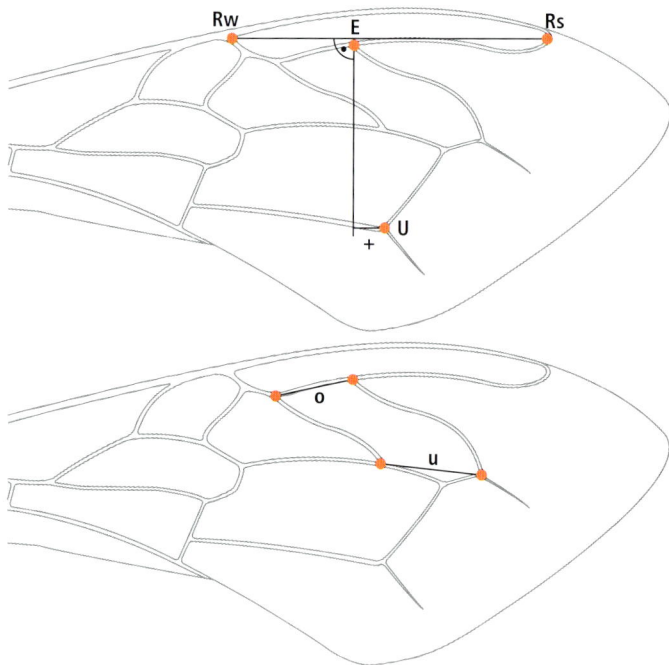

Abb. 94
**Diskoidalverschiebung**
Zur Bestimmung der Diskoidalverschiebung wird auf der Verbindung Rw–Rs eine Senkrechte durch Punkt E errichtet. Bei *Carnica*-Bienen liegt die Diskoidalecke (U) auf der Flügelspitzenseite der Senkrechten (positive Diskoidalverschiebung), bei *Mellifera*-Bienen auf der Flügelwurzelseite (negative Diskoidalverschiebung).

Abb. 95
**Hantelindex**
Der Hantelindex berechnet sich aus der Division von Strecke u durch Strecke o.
*Mellifera*-Bienen haben einen Hantelindex unter 0,923, bei *Carnica*-Bienen liegt er über 0,923.

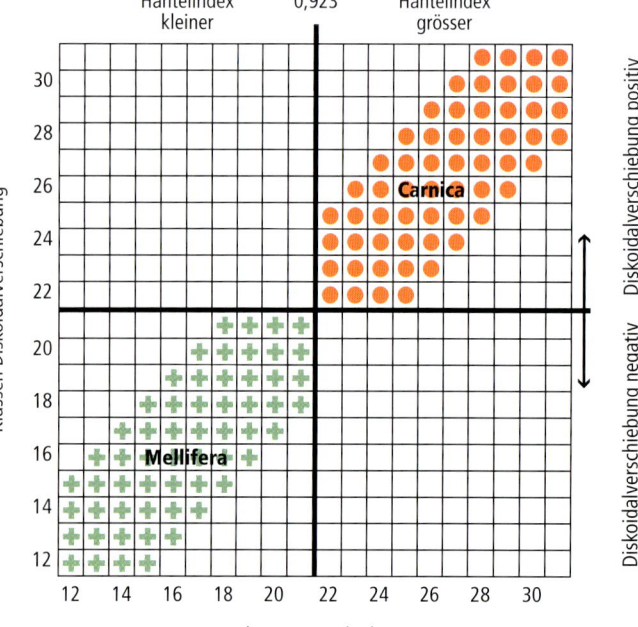

Abb. 96
**Diskoidalverschiebung und Hantelindex in Abhängigkeit**
Die grafische Darstellung von Diskoidalverschiebung und Hantelindex ermöglicht eine Unterscheidung von *Carnica*- und *Mellifera*-Bienen. Rassetypische *Mellifera*-Bienen befinden sich im Bereich der grünen Kreuze, *Carnica*-Bienen im Bereich der roten Kreise.

## Haarfarbe der Drohnen

Die Haarfarbe der Drohnen wird mit Hilfe der Goetze'schen Farbtafeln bestimmt.

**A. m. carnica**                                **A. m. mellifera**

sandgrau            lehmgrau            rostbraun           kaffeebraun

rostbraun                                        rauchschwarz        russschwarz

Abb. 97
**Vergleichsreihe zur Ermittlung der Farbstufe**
Die auf der Seite liegende Drohne wird bei Tageslicht von Feld zu Feld verschoben, bis sich die Rückenhaare des Brustteils kaum von der Farbstufe unterscheiden.

*Mellifera-* und *Carnica*-Bienen lassen sich auch anhand der Rüssellänge unterscheiden. Neue, computergestützte Methoden analysieren das gesamte Muster der Flügeladern. DNS-Analysen können in Zukunft bei der Rassenunterscheidung eine wichtige Rolle spielen. (18, 27)

## 7.3 Erscheinungsbilder der Bienenrassen Mitteleuropas

Ursprüngliche Eigenschaften der Rassen im Vergleich                               Tab. 15

| Rasse | *Mellifera* | *Carnica* | *Ligustica* | *Caucasica* |
|---|---|---|---|---|
| Rüssellänge | kurz | lang | lang | sehr lang |
| Winterhärte | gut | mittel | schlecht | schlecht |
| Überwinterung | kleine Kolonien | kleine Kolonien | grosse Kolonien | – |
| Brutbeginn Frühling | spät | früh | sehr früh | spät |
| Bruttätigkeit | gering | hoch/angepasst | sehr hoch | mittel |
| Futterverbrauch | tief | mittel | hoch | – |
| Schwarmeigenschaften | mittel | erhöht | gering | mittel |
| Nutzung Honigquellen | Wald/Blüten | Wald/Blüten | v. a. Blüten | – |
| Wabensitz | nervös | sehr ruhig | ruhig | sehr ruhig |
| Sanftmut | stechlustig | gutartig | gutartig | gutartig |
| Propoliseinsatz | hoch | mittel | mittel | sehr hoch |
| Stockreinigung | schlecht | gut | gut | – |
| Anflugstetigkeit | mittel | hoch | tief | – |

Manchmal variieren Eigenschaften innerhalb einer Rasse stark. Ausserdem kann gezielte Selektion das Erscheinungsbild einer Rasse erheblich verändern. Rassenvergleiche sind deshalb ungenau. Die Tabelle soll in erster Linie dazu anregen, die Eigenschaften der eigenen Bienen kritisch zu hinterfragen und züchterisch zu verbessern.

Analysen von Körper-, Stoffwechsel- und Verhaltensmerkmalen zeigen, dass *Carnica*- und *Ligustica*-Bienen relativ eng verwandt sind. Dagegen gehören sowohl die *Mellifera*-Bienen als auch die Kaukasischen Bienen zu anderen Rassegruppen. Auf Grund der genetischen Unterschiede ist der Heterosiseffekt bei Kreuzungen von *Mellifera*-Bienen mit anderen Rassen ausgeprägt. Auch die Abwehrbereitschaft ist davon betroffen, und deshalb gelten Bienen aus solchen Kreuzungen als besonders stechlustig. (12, 23)

Abb. 98

***Mellifera*-Biene oder Dunkle Europäische Biene *(Apis mellifera mellifera)***

*Mellifera*-Bienen sind heute in Mittel-, Nord- und Osteuropa verbreitet. Der Zuchtstamm Nigra stammt aus der Schweiz und gehört zur *Mellifera*-Biene (23) (→ Band „Natur- und Kulturgeschichte", S. 14).

Abb. 99
**Carnica-Biene oder Graue Biene**
*(Apis mellifera carnica)*
Die *Carnica*-Biene ist heute weltweit verbreitet. In Deutschland und Österreich wird fast ausschliesslich mit ihr geimkert. Der *Carnica*-Biene zuzuordnen sind die Stämme Sklenar, Troisek und Peschetz.

Abb. 100
**Ligustica-Biene oder Italienische Biene**
*(Apis mellifera ligustica)*
Viele Körpermerkmale der *Ligustica*-Biene entsprechen jenen der *Carnica*-Biene. Die *Ligustica*-Biene zeichnet sich durch breite, gelbe Ringe am Hinterleib aus.

### Kaukasische Biene *(Apis mellifera caucasica)*

Sie ist der *Carnica*-Biene sehr ähnlich und unterscheidet sich von ihr durch den tieferen Cubitalindex, der bei 2,2 liegt. Ausserdem haben die Drohnen am Brustteil einen dunklen bis tiefschwarzen Haarpelz.

### Buckfast-Biene

Die in England heimische *Mellifera*-Biene wurde zu Beginn des 20. Jahrhunderts durch die Tracheenmilbe beinahe ausgerottet. - Bruder Adam begann im Kloster Buckfast eine gegen diese Krankheit resistente Biene zu züchten. Als Zuchtbasis dienten ihm lokale englische *Mellifera*- und *Ligustica*-Bienen, die er mit verschiedenen Rassen der Westlichen Honigbiene kreuzte. Durch Selektion in den folgenden Generationen wurde versucht, die gewünschten Eigenschaften zu festigen. (12) Die verschiedenen Bienentypen in *Buckfast*-Völkern zeigen ihre vielfältige genetische Herkunft. Deshalb besteht bei der Zucht die Gefahr von sprunghaften Veränderungen der Eigenschaften, verursacht durch wechselnde Heterosis und genetische Aufspaltung.

Die *Buckfast*-Bienen weisen meist gelb-orange Ringe auf (→ Band „Natur- und Kulturgeschichte", S. 15).

Erbgut der Honigbienen in Mitteleuropa

## 7.4 Nutzen und Grenzen der Rassenunterscheidung

**Fehlpaarungen aufdecken**

Paart sich eine dem Rassenstandard entsprechende Königin mit einer Drohne, die Körpermerkmale einer anderen Rasse vererbt, so wird die Kontrolle der Nachkommen in der Regel die Fehlpaarung aufdecken. Die Fehlpaarung mit einer „Mischlingsdrohne" aber, die zufällig an den Genorten für Körpermerkmale die rassetypischen Gene trägt, kann nicht aufgedeckt werden. Diese Drohne vererbt dann unbemerkt Merkmale einer anderen Rasse.

**Körper- und Leistungsmerkmale vererben sich unabhängig**

Nach Mendel vererben sich Merkmale unabhängig voneinander. Eine Ausnahme bilden Merkmale, die erblich gekoppelt sind (→ S. 63). Die genetische Korrelation ist das Mass für die erbliche Verflechtung zwischen zwei Eigenschaften (→ S. 69).

Die in der Tabelle angegebenen Korrelationen zeigen, dass zwischen dem Cubitalindex und den aufgeführten Leistungsmerkmalen keine genetischen Beziehungen bestehen. Der Cubitalindex sagt also nichts aus über die Leistungsfähigkeit eines Bienenvolkes. Andere Körpermerkmale wie Panzerzeichen, Filzbindenbreite, Haarlänge und Haarfarbe scheinen sich ebenfalls unabhängig von den Leistungsmerkmalen zu vererben. (3)

Vermischen sich im Laufe der Zeit mehrere Rassen, so teilen sich die rassetypischen Allele zufällig auf die Bastardvölker auf. Durch gezielte Selektion nach Körpermerkmalen lässt sich eine Biene herauszüchten, die äusserlich der ursprünglichen Rasse gleicht. Alle übrigen Merkmale bleiben aber unverändert, denn sie korrelieren nicht mit den Körpermerkmalen. Aus einem Rassengemisch können deshalb aufgrund der Körpermerkmale unmöglich wieder die ursprünglichen, reinen Rassen herausgezüchtet werden.

**Genetische Korrelationen zwischen Cubitalindex und Leistungsmerkmalen** — Tab. 16

| Merkmal 1 | Merkmal 2 | genetische Korrelation |
|---|---|---|
| Cubitalindex | Honig | 0,00 |
| Cubitalindex | Aggressivität | 0,01 |
| Cubitalindex | Wabensitz | 0,01 |
| Cubitalindex | Schwarmneigung | 0,07 |

Erbgut der Honigbienen in Mitteleuropa

Abb. 101
**Wirkung der Selektion auf Körpermerkmale in einem Rassengemisch**

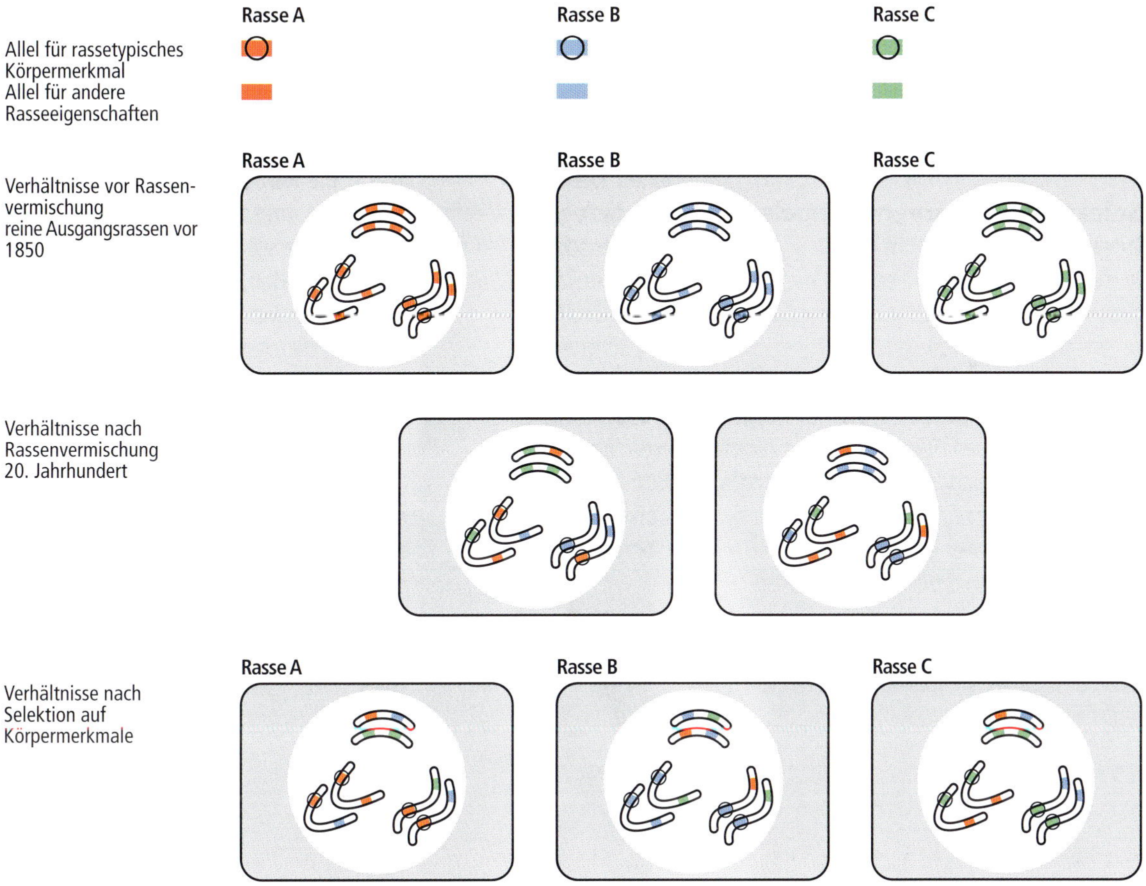

|  | Rasse A | Rasse B | Rasse C |
|---|---|---|---|
| Allel für rassetypisches Körpermerkmal | 🔴 | 🔵 | 🟢 |
| Allel für andere Rasseeigenschaften | 🟧 | 🟦 | 🟩 |

Verhältnisse vor Rassenvermischung
reine Ausgangsrassen vor 1850

Verhältnisse nach Rassenvermischung
20. Jahrhundert

Verhältnisse nach Selektion auf Körpermerkmale

In weiten Teilen Europas werden heute sowohl *Mellifera*- als auch eingeführte *Carnica*-Bienen gehalten und gezüchtet. Um Rassenvermischungen zu vermeiden, errichteten die Züchter Landbelegstellen mit Sicherheitsgürteln und selektionierten konsequent nach Rassemerkmalen. Trotzdem weisen heute sowohl eingeführte *Carnica*-Bienen wie auch heimische *Mellifera*-Bienen Merkmale der anderen Rasse auf.

## Mit durchlässigen Rassengrenzen leben

Wenn mehrere Rassen nebeneinander gezüchtet werden, ist bei der natürlichen Paarung eine Genvermischung nicht zu vermeiden. Doch die Erhaltung der ursprünglichen Genkombinationen kann nicht Ziel des Züchters sein, denn Selektion verändert das Erbgut der Völker stetig. Die Richtlinien der Körung beschreiben die rassetypischen Merkmale, die durch Selektion gefestigt werden sollen. Das Zuchtziel bestimmt die Richtung der genetischen Verbesserung von Rassen.

Jede Rasse hat Stärken und Schwächen. Wenn bei zwei Rassen dasselbe Zuchtziel verfolgt wird, können gewisse eingeschleuste Fremdgene sogar Vorteile bringen. Vielleicht trägt die heute im hohen Norden angesiedelte *Carnica*-Biene Gene für Winterfestigkeit der *Mellifera*-Biene. Oder möglicherweise verleihen Gene der *Carnica*-Biene der *Mellifera*-Biene mehr Sanftmut.

## Selektion auf Körpermerkmale bremst Zuchtfortschritt

In der Rassenzucht wird sowohl nach Leistungs- als auch nach Körpermerkmalen selektioniert. Leistungsstarke Königinnen werden oft von der Zucht ausgeschlossen, nur weil sie nicht die rassetypischen Körpermerkmale vererben. Dies bremst den Zuchtfortschritt bezüglich der Leistungsmerkmale. Beim Züchten von *Carnica*-Bienen steigt der Cubitalindex in der Regel leicht an. Viele Züchter scheinen hohe Cubitalindizes zu bevorzugen und selektionieren zusätzlich nach diesem Merkmal. Ein sehr hoher Cubitalindex überdeckt aber leicht eine Fehlpaarung. Denn wenn sich eine Königin mit sehr hohem Cubitalindex mit Drohnen der *Mellifera*-Rasse paart, können die Nachkommen trotz Fehlpaarung einen für *Carnica*-Bienen typischen Cubitalindex zeigen. (2)

Um Reinzucht zu betreiben, brauchen wir einen klaren Rassestandard. Da die Rasse kein biologisch definierter Begriff ist, muss der Mensch Richtlinien festlegen. Diese sollen über lange Zeit beibehalten werden, denn durch jede Änderung werden wertvolle Zuchttiere ausgeschieden, weil sie den neuen Richtlinien nicht mehr entsprechen. Will der Imker einen raschen Zuchtfortschritt erreichen, so muss er ins Erfassen der Honigleistung und in die Beurteilung der Völker ebenso viel Zeit investieren wie in die Überprüfung der Rassenmerkmale.

# 8 Organisation der Züchterinnen und Züchter

Ab Mitte des 20. Jahrhunderts begannen sich Züchterinnen und Züchter zu organisieren, zuerst in der Romandie, später auch in der deutschen und rätoromanischen Schweiz. Welche Zuchtstrategie verfolgen der „Verein deutschschweizerischer und rätoromanischer Imkerfreunde" (VDRB) und die „Société d'apiculture romande" (SAR)?

Abb. 102
**Zuchtgruppe an der Arbeit**
Es ist vorteilhaft, wenn sich Züchterinnen und Züchter zu Zuchtgruppen zusammenschliessen und die Bewertungen der Völker gemeinsam durchführen. Die zeitaufwändige Zuchtarbeit kann zudem im Team besser bewältigt werden.

# 8 Organisation der Züchterinnen und Züchter

## 8.1 Organisation der Zucht im VDRB

Hans-Georg Wenzel

Bahnbrecher und Organisator der Schweizer Rassenzucht war Ulrich Kramer (1844–1914), da er sich gegen die Einfuhr fremder Rassen wandte und sich für die Erhaltung der einheimischen Dunklen Biene *(Apis mellifera mellifera)* einsetzte. Bereits 1898 unterhielt er mit seinen Mitarbeitern Belegstationen zur Zucht reiner Bienenrassen. Aus dieser Zuchtarbeit entstand in der ersten Hälfte des 20. Jahrhunderts ein Stamm der *Apis mellifera mellifera*, die *Nigra*-Biene. Sie wurde europaweit bekannt (→ Band „Natur- und Kulturgeschichte", S. 14).

Anfang der 50er-Jahre wurde die *Carnica*-Biene *(Apis mellifera carnica)* von Züchtern in Frühtrachtgebiete der Schweiz eingeführt. Bastardisierte *Mellifera*-Bienen waren damals weit verbreitet. Wurden diese mit *Carnica*-Bienen gekreuzt, entstanden zwar in der ersten Generation starke Wirtschaftsvölker, doch in den folgenden Generationen büssten diese wieder an Qualität ein (→ S. 79).

Die heimische *Mellifera*-Rasse unterlag vorerst der auf Sanftmut, Volksstärke und frühe Entwicklung selektionierten *Carnica*-Biene. Besonders dem Wanderimker kam die *Carnica*-Biene entgegen, denn sie entwickelte sich im Frühtrachtgebiet zu starken Völkern und vermochte auch in der Sommertracht reiche Ernte einzutragen. Doch zeigt sich heute, dass auch die *Mellifera*-Rasse auf Sanftmut und Volksstärke selektioniert werden kann, und ihre eher langsame Frühjahrsentwicklung ist an das lokale Trachtangebot höherer Lagen angepasst.

Um 1990 begann der VDRB, ein neues Zuchtkonzept zu erarbeiten. Zuerst wurden der Ist-Zustand erfasst und das vorliegende Erbgut bewertet. Es wurde eine Zuchtkommission gegründet. Sie bestand aus Vertretern des VDRB, kantonalen Obmännern der Belegstationen, aus Vertretern der Rasseverbänden, der Bienenforschungsanstalt Liebefeld und einzelnen Leitern deutscher Forschungsinstitute. In fünfjähriger Arbeit erstellte diese Zuchtkommission das Zuchtkonzept 95, das bei der Geschäftsstelle des VDRB zu beziehen ist.

Im Zuchtkonzept wurden die bestehenden Belegstationen unterteilt in:

– **A-Belegstationen**
 Auf den A-Belegstationen wird das bestehende Erbgut möglichst rein erhalten. Sie liegen in höheren Lagen und sind topografisch gut isoliert. In ihrer Umgebung stehen nur Bienenstände mit Königinnen derselben Abstammung.

– **B-Belegstationen**
 B-Belegstationen sind im Unterland. Auf ihnen werden Königinnen von Wirtschaftsvölkern begattet. Die Drohnenvölker der B-Belegstationen stammen von A-Belegstationen oder sind solchen gleichwertig.

Die Zuchtkommission besteht heute aus dem Zuchtchef des VDRB, den beiden Zuchtchefs der Rasseverbände *Mellifera* und *Carnica* sowie aus einem technischen Berater. Sie untersteht dem Zentralvorstand des VDRB. Dem Zuchtchef unterstehen die kantonalen Zuchtobmänner, diesen wiederum die Zuchtobmänner der Vereine.

Ziele dieser Zuchtgemeinschaft sind:
– friedliches Zusammenleben von *Mellifera*- und *Carnica*-Bienenzüchtern
– vorhandenes Erbgut erhalten und verbessern
– züchterische Ausbildung der Imkerinnen und Imker

Organisation der Züchterinnen und Züchter

Die Einfuhr fremder Rassen und Hybriden in das Vereinsgebiet des VDRB kann gesetzlich nicht unterbunden werden. Führt ein Imker fremde Rassen ein, so erschwert er damit die Arbeit seiner Kollegen, und das heimische Erbgut wird verändert.

Abb. 103
**Organigramm der Zucht im VDRB**

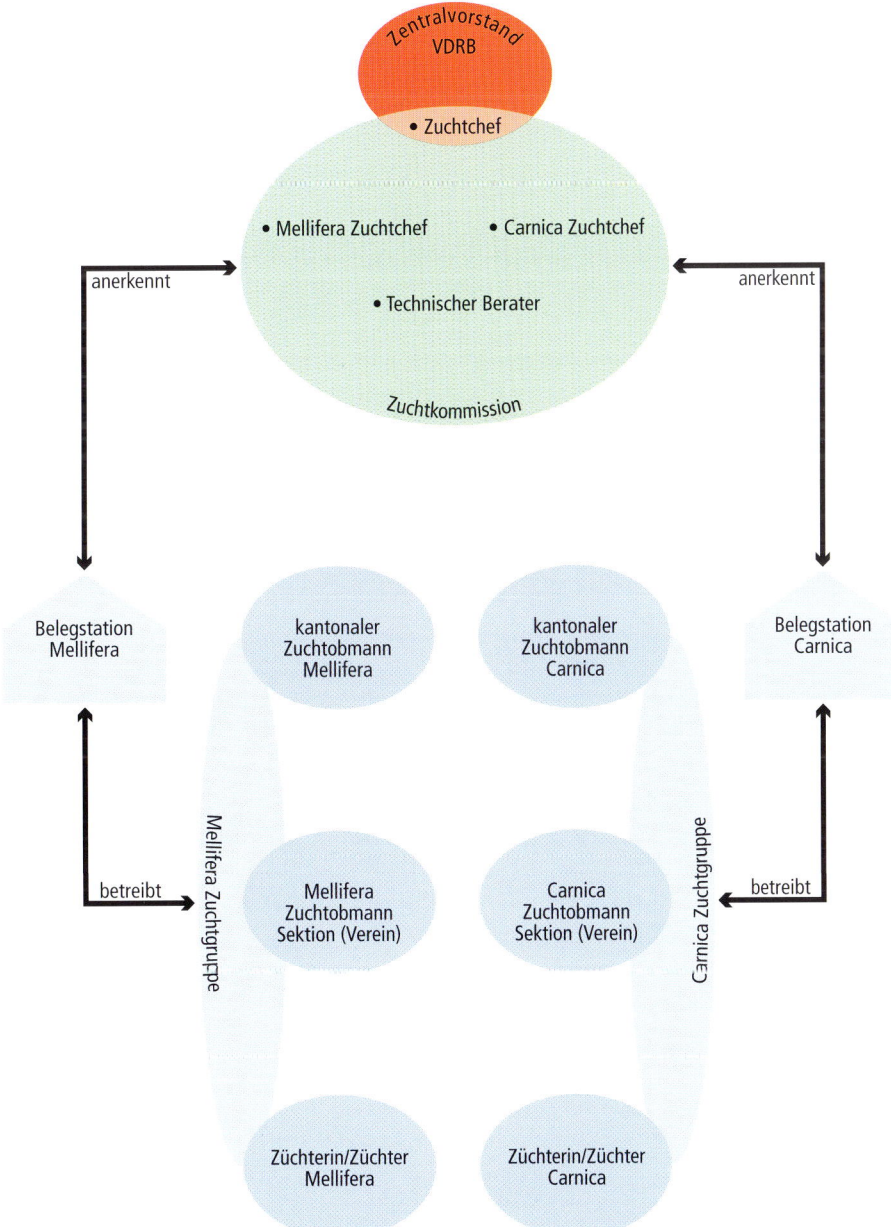

## 8.2 Zuchtarbeit der SAR

Charles Maquelin

In der Zeitschrift „Bulletin d'apiculture pour la Suisse romande" warben Züchter bereits im 19. Jahrhundert für ihre Königinnen. Das Interesse an guten Königinnen (und der Preis dafür) war gross. Angeboten wurden meist Italiener-, Krainer-, Heide- und Kaukasierbienen oder deren Hybriden. Alle Königinnen stammten aus dem Ausland (Italien, Österreich, Deutschland, Frankreich) oder aus dem Tessin (Poleggio, Bellinzona). Damals glaubten nur wenige, dass die angestammte Landrasse *Apis mellifera mellifera* wertvoll ist und die Importe langfristig Nachteile bringen würden.

Um 1960 gründete die SAR eine Zuchtberater-Gruppe („Groupement des moniteurs éleveurs SAR").
Seither werden in regelmässigen Kursen Zuchtberater ausgebildet. Ihre Aufgabe ist es, die Imkerinnen und Imker in den Techniken der Königinnenzucht zu unterrichten und selektionierte Königinnen für die Zucht anzubieten.
Rassereine *Carnica*-Linien wurden importiert und rasserein weitergezüchtet. Um Inzucht zu vermeiden, wurden zeitweise neue Linien eingekreuzt.
Rassereine Zucht verlangt eine kontrollierte Begattung. Deshalb wurden gut isolierte Belegstationen errichtet. Die Begattung durch fremde Drohnen kann jedoch nicht immer ausgeschlossen werden. Deshalb wurden zusätzlich morphologische Merkmalsprüfungen durchgeführt. Wegen des grossen Arbeitsaufwandes wurden nur selten Königinnen künstlich besamt.
Jeder Zuchtberater züchtet mit mehreren anerkannten Königinnen, die die Selektionskriterien erfüllen, und gibt den Zuchtstoff an die Imker ab.

Auf die Belegstationen der SAR kommen gleichzeitig nur Drohnenvölker von Schwesterköniginnen. Sie bleiben zwei bis drei Jahre auf der Belegstation und werden dann durch eine Schwesterngruppe anderer Abstammung ersetzt. Sie sind aber alle mehr oder weniger miteinander verwandt, denn alle können auf 22 verschiedene *Carnica*-Linien zurückgeführt werden. Um 1980 wurde ein spezielles Computerprogramm entwickelt, damit die Verwandtschaftsverhältnisse berechnet werden können. Das Programm liefert jedes Frühjahr den Verwandtschaftsgrad zwischen anerkannten Zuchtmüttern und Drohnenvölkern der offiziellen Belegstationen. So kann jeder Züchter die geeignete Belegstation für seine Jungköniginnen auswählen.
Mindestens einmal jährlich diskutieren die Zuchtberater der ganzen Westschweiz die anstehenden Probleme. Innerhalb der Kantone treffen sich Zuchtberater mehrmals während der Bienensaison, um die Völker zu bewerten und die Zucht der zukünftigen Drohnenvölker zu organisieren. In den Vereinen wird auch ein enger Kontakt zwischen Zuchtberater und Imker gepflegt. Oft werden die Königinnen einer Sektion gemeinsam auf die Belegstation gebracht, denn die Auffuhr ist auf bestimmte Daten und Zeiten beschränkt. Diese gemeinsame Arbeit fördert den Erfahrungsaustausch zwischen Imkerinnen und Imkern aus dem SAR-Gebiet.
Heute unterstützen die meisten Vereinsmitglieder der SAR die Arbeit des „Groupement des moniteurs" und die Rassereinzucht. Nur wenige importieren Buckfast-Königinnen. Solange diese Völker nicht in die Nähe von Belegstationen gebracht werden, sind nur in Völkern von standbegatteten Königinnen Buckfast-Bienen zu finden. Bis aber bemerkt

wird, dass Buckfast-Völker zu nahe bei einer Belegstation stehen, werden oft sehr viele Jungköniginnen fehlbegattet. Zwar können diese dann recht gute Standvölker liefern, doch für die Zucht sind sie nicht geeignet. In der Schweiz kann zum Schutz einer Belegstation kein Sperrgebiet für Bienen erstellt werden. Deshalb können nur in abgeschlossenen Bergtälern isolierte Belegstationen geschaffen werden.

Abb. 104
**Gebirgsstation**
Um die Paarung mit fremden Drohnen zu verhindern, wurden einige Belegstationen in der Schweiz auf über 1500 m ü. M. eingerichtet.
Diese *Carnica*-Belegstation der SAR befindet sich auf 2200 m ü. M., oberhalb des Lac de Moiry, im Val d'Anniviers (VS). Die für den Ausflug der Königinnen erforderlichen Temperaturen von mindestens 20 °C werden hier nur während weniger Wochen erreicht, und bisweilen stehen die Kästchen im Schnee.

# Quellen

1. Bienefeld, K. (1987): Selektionskriterien in der Bienenzucht. ADIZ/die biene, 21(6), S. 181–183
2. Bienefeld, K. (1988): Dreissig Jahre Carnica – Reinzucht – Überblick und Ergebnisse. Allg. Deutsche Imkerzeitung, 22 (7), S. 221–226
3. Bienefeld, K. (1989): Beziehungen zwischen einigen Volkseigenschaften bei der Honigbiene. Imkerfreund, 44 (6), S. 236–239
4. Bienefeld, K. (1990): Ein neues Zuchtverfahren für die Honigbiene. ADIZ/die biene, 24(9), S. 23–27
5. Bienefeld, K. (1990): Züchterische Aussichten bei der Verbesserung der Honigbiene. ADIZ/die biene, 2/90, S. 35–41
6. Bienefeld, K. (1991): Die Auswirkung der Inzucht bei der Honigbiene. Imkerfreund, 6/91, S. 4–7
7. Bienefeld, K. (1992): Die gleichzeitige Berücksichtigung mehrerer Eigenschaften: Selektionsindex für die Honigbiene. Imkerfreund, 2/92, S. 14–18
8. Bienefeld, K. (1993): Untersuchungen zur Genetik der Honigbiene. Deutsches Bienen Journal, 1/93, S. 18–19
9. Bienefeld, K., Reinhard, F., Keller, R. (1998): Zuchtwertschätzung bei der Honigbiene. Deutsches Bienen Journal, 9/98, S. 18–22
10. Bienefeld, K., Thakur, R. K., Keller, R. (1997): Untersuchungen zum Varroaabwehrverhalten bei der Carnica. Allg. Deutsche Imkerzeitung, 31 (10), S. 12–16
11. Bienefeld, K., Thakur, R. K., Keller, R. (1999): Drohnenbrütige Arbeiterinnen gegen Varroa: Untersuchungen zur Vererbung des Öffnens und Ausräumens varroabefallener Brutzellen durch die Honigbiene (Apis mellifera carnica). Deutsches Bienen Journal, 7 (2), S. 4–6
12. Bruder Adam, (1982): Züchtung der Honigbiene. Sankt Augustin 3: Delta-Verlag
13. Büchler, R. (1994): Entwicklung varroatoleranter Honigbienen (Teil 1), Varroatoleranz bei Honigbienen (Teil 2) sowie Varroatoleranz in Zuchtprogrammen (Teil 3). Schweizerische Bienen-Zeitung, 117 (8, 9 und 10), S. 449–453, 511–516 sowie 576–579
14. Büchler, R. (1999): Welche Perspektive bietet die Zucht auf Varroatoleranz? ADIZ/die biene, 1/99, S. 11–14
15. Gerig, L. (1983): Lehrgang zur Erfassung der Volksstärke. Schweizerische Bienen-Zeitung, 106 (4)
16. Gerig, L., Gerig, A. (1976): Einsatz ferngesteuerter Modellflugzeuge zur Ortung von Drohnenansammlungen von Apis mellifera l. Schweizerische Bienen-Zeitung, 99 (11), S. 571–576
17. Haberl, M. (1998): Überprüfung von Paarungsergebnissen. ADIZ/die biene, 1/98, S. 10–11
18. Klebs, K. (1995): Rassereinheit – Bestimmung von Carnicaherkünften anhand morphometrischer Untersuchungen an Königinnenflügeln. Schweizerische Bienen-Zeitung, 118 (12), S. 699–703
19. Koeniger, G. (2000): Varroa destructor. Neue wissenschaftliche Einordnung der Varroatypen. Allgemeine Deutsche Imkerzeitung ADIZ, 11/2000, S. 3
20. Liebig, G. (2000): Resistenz gegen Varroatose. Schweizerische Bienen-Zeitung, 123 (2), S. 98–101
21. Ritter, W. (1994): Bienenkrankheiten. Stuttgart: Eugen Ulmer, S. 55–58
22. Ruttner, F. (1988): Zuchttechnik und Zuchtauslese bei der Biene. München: Ehrenwirth
23. Ruttner, F. (1992): Naturgeschichte der Honigbiene. München: Ehrenwirth
24. Ruttner, H., Ruttner, F. (1972): Untersuchungen über die Flugaktivität und das Paarungsverhalten der Drohnen. Drohnensammelplätze und Paarungsdistanz. Apidologie 3 (3), S. 203–232
25. van Praagh, J. P. (1994): Genetik des Bien. Deutsches Bienen Journal, 9/94, S. 496–499 und 10/94, S. 560–663
26. Wallner, A. (1996): Bienenvölker, die Varroamilben töten. Schweizerische Bienen-Zeitung, 119 (2), S. 76–78
27. Weiss, K. (1997): Zuchtpraxis des Imkers in Frage und Antwort. München: Ehrenwirth
28. Woyke, J. (1980): Effect of sex allele homo-heterozyosity on honey bee colony populations and their honey production. Favourable development conditions and unrestricted queens. Journal of Apicultural Research, 1/80, S. 51–63
29. Zuchtrichtlinien Schweizerische Carnicaimker-Vereinigung

# Weiterführende Literatur

Bruder Adam (1982): Züchtung der Honigbiene. Sankt Augustin 3: Delta-Verlag

Holm, E. (1997): Die Veredlung von Bienen. München: Ehrenwirth

Ruttner, F. (1988): Zuchttechnik und Zuchtauslese bei der Biene. München: Ehrenwirth

Ruttner, F. (1992): Naturgeschichte der Honigbiene. München: Ehrenwirth

Spiegel, L. (2000): Die Leistungszüchtung der Honigbiene. Köniz: Selbstverlag

Weiss, K. (1997): Zuchtpraxis des Imkers in Frage und Antwort. München: Ehrenwirth

# Register

**A**

Absperrgitter 18, 22, 23, 30, 31
Allele 52, 62, 64, 71
Anbrütekasten 20
anbrüten 8
Anbrüter 20
Annahme einer Königin 42
Apis mellifera 90, 92
Apis mellifera carnica 85, 87, 88, 89, 90, 91, 92, 98
Apis mellifera caucasica 85, 89, 92, 93
Apis mellifera ligustica 85, 87, 89, 92
Apis mellifera mellifera 85, 87, 88, 89, 91, 98, 100
Arbeiterinnenlinie 78, 84
Art 86
Aufsteckgitter 45
Augenfarbe 62
Ausfresskanal 45

**B**

Bauleistung 76
Befruchtung 49, 51, 54
Begattung 27, 34, 36
Begattungsflüge 35
Begattungskästchen 25, 28, 29, 37
Begattungsvolk 28, 32, 34, 47, 48
Begattungszeichen 36
Belegstationen 27, 33, 34, 35, 100
    A-Belegstationen 98
    B-Belegstationen 98
    Gebirgsstation 101
Belegstellenbegattung 33, 64
Beurteilung 73
Bienendichte 35
Bienenrassen 85
Bienenumsatz 72
Blutanteil 75
Bruder Adam 93
Brutableger 39, 47
Brutattraktivität 83
Bruthygiene 83
Brutkurve 72
Brutlücken 58, 60
Brutschrank (Inkubator) 19, 26
Buckfast-Bienen 86, 93, 100

**C**

Carnica (→ Apis m. carnica)
Caucasica (→ Apis m. caucasica)
Chromosomen 51, 52
codominant 62
Computerauswertung 80
Crossing Over 63
Cubitalindex 88, 89, 94, 96

**D**

Desoxyribonukleinsäure (DNS, engl. DNA) 51
diploid 51, 58, 60
Diskoidalverschiebung 88, 90
DNS-Analysen 91
Dominant/rezessiv 62
Drohnen 35, 36, 38, 55
    drohnenbrütig 37
    drohnenfrei 30
    Drohnensammelplatz 35, 36
    Drohnenschwarm 36
    Drohnensieb 31
    Drohnenvolk 33, 34
    Drohnenwabe 33
Dunkle Europäische Biene (→ Apis m. m.)

**E**

Eiablage 37
Einlaufverfahren 46
Einweiseln 43, 47
Eizellen 53
Endpflegevolk 22
Erbfehler 55
Erbgang 62
Erbgut 55, 60
Erblichkeit 68, 72
Erblichkeitsschätzungen 68
Erscheinungsbild 60

**F**

Fehlpaarung 94, 96
Fehlpaarungen 94
Filzbinde 62
Filzbindenbreite 88, 94
Finisher 23
Flügeladern 88, 91
Flügelschnitt 41
Frühjahrsentwicklung 70, 73, 76
Futterteig 29
Futterverbrauch 72

**G**

Gattung 86
Gelée Royale 67
Gen 50, 61, 63, 64
Genanteil 75
Generationsdauer 81
Genetische Korrelationen 69, 94
Genort 52
Genotypen 60, 61
Geschlechtsbestimmung 58
gleicherbig 60
Graue Biene (→ Apis m. carnica)
Groupement des moniteurs éleveurs SAR 100

**H**

Haarfarbe 94
Haarfarbe der Drohnen 91
Haarlänge 88, 94
Halbgeschwister 56, 64
Handhabbarkeit der Bienen 72
Hantelindex 88, 90
haploid 53, 54
Heritabilität 68
Heterosis 76, 79, 84
    Heterosiseffekt 78, 79, 87
heterozygot 60
homozygot 60
Honigleistung 66, 67
Honigertrag 70, 72, 76
Honigfutterteig 30

**I**

instrumentelle Besamung 38, 82
intermediär 62
Inzucht 33, 35, 60, 64, 75, 77, 84
Inzuchtdepression 76, 79
Inzuchtgrad 77
Italienische Biene (→ Apis m. ligustica) 85

**K**

Kalkbrut 82
Kaukasische Biene (→ Apis m. caucasica) 85, 93
Königinnen zeichnen 40
Königinnen zusetzen 32
Königinnenattrappen 36
Königinnenlinien 78, 84
Körpermerkmale 87, 95, 96
Korrelationen 69, 72
Kramer, Ulrich 98
Krankheitsanfälligkeit 67
Krankheitsresistenz 82
Kreuzungszucht 75
künstliche Besamung 38, 82
Kunstschwarm 30, 31, 47, 48

**L**

Ligustica (→ Apis m. ligustica)
Linien 86
Locus 52

**M**

Melanin 50
Mellifera (→ Apis m. mellifera)
Mendel 63, 94
Merkmale 60, 64, 81
Milbenfruchtbarkeit 84
Milbentypen 84

**103**

# Register

Mutationen 55
mütterliche Dominanz 58

**N**

Nachschaffungszellen 11, 17
natürliche Begattung 33
Nektarsammelleistung 63
Neukombinationen 49, 54, 79
Nigra-Biene 92, 98

**O**

Okuliermesser 24
Organigramm 99

**P**

Paarungsverfahren 75
Panzerfarbe 62
Panzerzeichen 87, 94
Peschetz 93
Pflegevölker 10, 16
Phänotyp 60
phänotypische Korrelation 69
Pheromone 42, 50
Prüfstände 27, 80
Putztrieb 72, 73, 82, 83

**R**

Rassen 86, 92
Rassengrenzen 95
Räuberei 67
Reifeteilung 53
Rotationspaarung 77
Rüssellänge 91

**S**

Samenblase 36, 56
Samenzellen 54, 56
Sammelleistung 72
Sanftmut 67, 70, 72, 73, 74, 76, 98
SAR 100
Schlupfkäfige 25
Schwarmneigung 67
Schwarmträgheit 70, 76

Schwarmtrieb 72, 73, 74
Schwarmzellen 11, 17
Selektion 48, 68, 95
Selektionsdifferenz 71
Selektionserfolg 71
Selektionsindex 80
Selektionsintensität 81
Sexallele 58, 59
Sexgen 58
Sklenar 93
Stämme 86
Standbegattungen 33, 35, 36, 64, 79
Standort 66, 72
Starter 23
Stoffvolk 15
Supergeschwister 56, 64

**T**

Tracheenmilbe 82
Troisek 93

**U**

überdominant 62
umlarven 7, 9, 13
umstecken 14
Umsteckgerät 15
umweiseln 42, 43, 46
Umwelt 66
ungleicherbig 60

**V**

Varroa destructor 84
Varroa jacobsoni 84
Varroa-Fangwabe 19
Varroamilben 19
Varroatoleranz 69, 83
VDRB 98
Verdeckelungsdauer 83
Vereinigung 46, 47
Vererbungsregeln 49
Versandkäfig 44
verschulen 25
Verwandtschaftsverhältnisse 56

Vitalität der Bienen 72
Volksstärke 70, 73, 74, 76, 98
Vollgeschwister 56

**W**

Wabensitz 67, 70, 72, 73, 74, 76
Waldameisen 35
Wasserwabe 20
Weiselbecher 13
Weiselnäpfchen 12
Weiselprobe 42
Weiselwiege 11
Wiederstandskraft 72
Winterfestigkeit 67, 70, 72, 73, 74, 76

**Z**

Zeichenfarbe 41
Zeichnungsapparat 40
Zelle 50
Zellenaufsatz 20
Zellkern 50
Zellplasma 50
Zellteilung 52, 53
Zucht im weisellosen Volk 18
Zuchtfortschritt 81, 96
Zuchtgruppe 97
Zuchtkarte 65, 74
Zuchtkasten 17
Zuchtkonzept 33, 98
Zuchtmethode 8
Zuchtplan 10
Zuchtstoff 13, 16
Züchtungslehre 84
Zuchtverfahren 17
Zuchtvolk 10
Zuchtwabe 14
Zuchtwertschätzung 79, 81, 84
Zuchtzellen 19, 24
Zuchtziel 65, 72
Zusetzapparate 28, 39, 44
zusetzen 46
Zusetzröhrchen 44